la voie
du silence

Omraam Mikhaël Aïvanhov

la voie
du silence

Collection Izvor
N° 229

EDITIONS PROSVETA

Du même auteur :

Collection Izvor

Editions Prosveta S.A. – B.P.12 – 83601 Fréjus Cedex (France)

ISBN 2-85566-466-7

Le lecteur comprendra mieux certains aspects des textes du Maître Omraam Mikhaël Aïvanhov présentés dans ce volume s'il veut bien ne pas perdre de vue qu'il s'agit d'un Enseignement strictement oral.

I

BRUIT ET SILENCE

Vous allez rendre visite à une famille et dès l'entrée, vous êtes assailli par le tapage : les chiens aboient, les enfants se chamaillent et pleurent, la radio ou la télévision hurle, les parents crient, les portes claquent... En vivant continuellement dans tout ce bruit, comment les gens n'auraient-ils pas le système nerveux malade ? Sur les routes, dans les villes, les usines et les lieux de travail, il n'y a que du bruit. Dans la nature on trouve de moins en moins le silence, et même le ciel maintenant est devenu bruyant ! On se demande où aller pour avoir enfin le silence...

C'est pourquoi, quand vous venez à nos réunions, je vous demande d'être attentifs à faire le moins de bruit possible. Izgrev, Le Bonfin, tous les autres Centres fraternels sont des lieux où vous venez pour trouver des conditions que vous n'avez pas dans la vie courante, afin de vous régénérer et de faire un travail spirituel. Alors, je vous en prie, essayez de ne pas transporter ici les bruits du monde ordinaire.

Je sais, au début cela paraît difficile pour certains ; ne pas faire de bruit n'est pas la préoccupation principale des humains : ils parlent fort, crient, bousculent les objets... L'idée ne leur vient même pas que ce comportement pourrait être nuisible pour eux et pour les autres. Comme ils sont, ils se manifestent ; ils se trouvent très bien comme ça et leur entourage n'a qu'à les supporter. Eh bien, voilà une forme d'égoïsme très préjudiciable pour l'évolution. Oui, attention, il faut au contraire veiller à ne pas déranger les autres avec le bruit, c'est ainsi qu'on devient conscient et qu'on développe de nombreuses qualités : la délicatesse, la sensibilité, la bonté, la générosité, l'harmonie... Et on sera le premier à en bénéficier ! Il faut bien voir l'importance du lien qui existe entre une attitude et tout le reste de l'existence.

Moi, j'ai besoin du silence. C'est seulement dans le silence que je m'épanouis et trouve les conditions pour mon travail. Le bruit est pour moi impossible à supporter, il me fait fuir. Quand j'entends du bruit, je n'ai qu'une envie, c'est de tout laisser et de partir le plus loin possible. Bien sûr, ceux qui viennent ici pour la première fois sont un peu déroutés par ce silence, ils n'en ont pas l'habitude, ils se demandent : « Mais où suis-je tombé ? On se croirait dans un couvent ! » Pourquoi un couvent ? Le silence n'appartient pas au couvent, il appartient à la nature, à tous les sages, à tous les Initiés et à tous les gens sensés.

Plus on est évolué, plus on a besoin de silence. Etre bruyant n'est donc pas un bon signe. Combien de gens font du bruit pour qu'on les remarque ! Ils parlent fort, rient, entrent sans précaution dans une salle quand tout le monde est déjà installé, claquent les portes, heurtent ou bousculent des objets afin seulement d'attirer l'attention. Faire du bruit est pour eux une façon de s'affirmer, de montrer qu'ils sont là. Eh bien, il faut qu'ils sachent que les tonneaux vides sont ceux qui font le plus de bruit : alors là, on remarque immédiatement leur présence ! Oui, combien de gens sont comme des tonneaux vides : ils vont partout en faisant un tapage assourdissant qui révèle leur insuffisance, leur médiocrité.

J'observe les gens et leur comportement me révèle immédiatement leur éducation, leur caractère, leur tempérament, leur degré d'évolution. Tout est dit dans la façon dont ils se présentent et parlent. Certains parlent comme pour couvrir, pour cacher quelque chose, comme s'ils redoutaient que le silence puisse révéler ce qu'ils voudraient justement camoufler. A peine vous les rencontrez, il faut qu'ils racontent immédiatement toutes sortes d'histoires pour imposer une certaine idée d'eux-mêmes, des autres ou des événements. Vous direz : « Mais ils parlent

pour faire connaissance ! » Je veux bien, mais pour
faire connaissance le silence est parfois plus éloquent
que la parole. Oui, en vivant ensemble quelques
minutes dans le silence, on se connaît mieux qu'en
poursuivant un long bavardage inutile.

Le bruit retient l'homme dans les régions psychiques inférieures : il l'empêche d'entrer dans ce
monde subtil où le mouvement devient plus facile,
la vision plus claire, la pensée plus créatrice. Bien
sûr, le bruit est l'expression de la vie, mais pas des
degrés supérieurs de la vie, il révèle plutôt une imper-
fection dans la construction ou le fonctionnement
des êtres et des objets. Quand une machine, un
appareil commence à avoir des ratés, cela fait toutes sortes de bruits ; et si, de plus en plus, les
constructeurs se préoccupent de mettre au point
des appareils silencieux, c'est parce qu'ils sont
conscients d'apporter par là une véritable amélio-
ration : le silence est toujours l'indice d'un perfectionnement.

La douleur elle-même est un bruit qui nous prévient que les choses sont en train de se gâter dans
nos organes. Dans un corps sain les organes sont
silencieux. Bien sûr ils s'expriment puisqu'ils sont
vivants, mais ils s'expriment sans bruit. Le silence
est le signe que tout fonctionne correctement dans
l'organisme. Dès que quelque chose commence un
peu à grincer, attention ! c'est l'annonce de la
maladie.

Le silence est le langage de la perfection, alors que le bruit est l'expression d'une défectuosité, d'une anomalie ou d'une vie qui est encore désordonnée, anarchique et qui a besoin d'être maîtrisée, élaborée. Les enfants par exemple sont bruyants parce qu'ils débordent d'énergie et de vitalité. Au contraire, les gens âgés sont silencieux. Vous direz : « Bien sûr, c'est clair, les gens âgés aiment le silence parce qu'ils ont moins de forces, alors le bruit les dérange. » C'est un peu vrai, mais il se peut aussi qu'il y ait eu une évolution en eux, et c'est leur esprit maintenant qui les pousse à entrer dans le silence. Pour réviser leur vie, réfléchir, en tirer des leçons, ils ont besoin de ce silence où se fait tout un travail de détachement, de simplification, de synthèse. La recherche du silence est un processus intérieur qui conduit les êtres vers la lumière et la véritable compréhension des choses.

Plus l'homme devient adulte, plus il comprend que le bruit est un inconvénient pour le travail, alors qu'au contraire le silence est un facteur d'inspiration et il le recherche pour donner à son cœur, à son âme, à son esprit la possibilité de se manifester par la méditation, la prière, la création philosophique ou artistique. Mais beaucoup de gens n'aiment pas le silence, ils ont du mal à le supporter ; ils sont comme les enfants qui ne se sentent bien qu'au milieu de l'animation et du bruit, ce qui prouve qu'ils doivent encore beaucoup travailler pour avoir

une véritable vie intérieure. Même le silence de la
nature les inquiète et quand ils se rencontrent, ils
se dépêchent de parler, de parler comme si le silence
les gênait : ils le ressentent comme un vide qu'ils
doivent combler par des paroles et des gestes. Et
c'est normal, le silence physique les oblige à prendre conscience de leurs dissonances et de leurs désordres intérieurs, c'est pourquoi ils en ont tellement
peur : ce silence peut même les rendre fous. N'ayant
plus rien d'extérieur à eux pour se distraire et
s'étourdir, ils ne peuvent plus échapper à leurs
démons intérieurs.

Le silence est l'expression de la paix, de l'harmonie, de la perfection. Celui qui commence à aimer
le silence, qui comprend que le silence lui apporte
les meilleures conditions pour l'activité psychique
et spirituelle, arrive peu à peu à le réaliser dans tout
ce qu'il fait : quand il déplace les objets, quand il
parle, quand il marche, quand il travaille, au lieu
de faire tout un remue-ménage il devient plus attentif, plus délicat, plus souple, et tout ce qu'il fait est
imprégné de quelque chose qui semble venir d'un
autre monde, d'un monde qui est poésie, musique,
danse, inspiration.

En tant que disciples de l'Enseignement de la
Fraternité Blanche Universelle, vous devez savoir
qu'il y a des règles à connaître et à respecter, des
qualités à développer si vous voulez vraiment vous
manifester dans cette Fraternité comme un mem-

bre vivant, actif et lumineux. Une de ces règles, une de ces qualités est le silence. Alors, apprenez à aimer et à réaliser le silence, sinon même si vous êtes là avec votre corps physique, votre âme et votre esprit seront toujours ailleurs.

II

LA RÉALISATION DU SILENCE INTÉRIEUR

Dans le plan physique, il est facile d'obtenir le silence, il suffit de fermer la porte, les fenêtres ou de se boucher les oreilles. Mais nous ne parlons pas ici du silence extérieur. Bien sûr il est nécessaire, indispensable, dans la mesure où il donne les conditions pour réaliser l'autre silence, le silence intérieur, celui des pensées et des sentiments, ce qui est beaucoup plus difficile. Parce que c'est là surtout, dans le for intérieur, qu'il y a du bruit, des discussions, du remue-ménage, des explosions.

Malheureusement, quand on essaie d'expliquer aux humains qu'il est dans leur intérêt de réaliser ce silence intérieur, et qu'on leur donne même les méthodes pour y parvenir, ils n'écoutent pas, ils ne comprennent pas, et ce bruit qu'ils gardent en eux se reflète dans toute leur conduite, qui est désordonnée, cacophonique.

Si vous venez dans une Ecole initiatique, c'est pour apprendre des choses essentielles, sinon ça ne vaut pas la peine. Et une des choses essentielles justement, c'est de réaliser le silence intérieur. C'est pourquoi chaque jour essayez de faire des efforts pour éviter le bruit qui se prépare au-dedans : des discussions, des révoltes, des bagarres provoquées par les pensées, les désirs et les sentiments mal maîtrisés. Pour échapper à ce tapage, vous devez vous efforcer de ne plus vivre à la surface des choses, exposé aux agitations et aux troubles qui s'y produisent, mais de vous dégager des soucis, des préoccupations prosaïques, et surtout de changer la nature de vos besoins. Tant que vous resterez avec des besoins ordinaires, vous n'arriverez pas à vous dégager. Chaque besoin, chaque désir, chaque souhait, vous met sur des rails déterminés, et c'est ainsi que, selon la nature de vos besoins, vous arriverez dans une région infestée de fauves rugissants, ou bien alors dans une région peuplée de créatures célestes qui vous accueilleront avec des concerts d'harmonie.

Pour le moment, le silence que vous avez réussi à obtenir n'est en réalité pas tellement silencieux. Combien de fois vous en avez fait vous-même l'expérience ! Vous fermez les yeux et tous vos problèmes, vos préoccupations, vos animosités remontent à la surface. Dans ce « silence » soi-disant, vous continuez à vous chamailler avec votre femme, vous donnez une fessée à vos enfants, vous réglez des comptes avec votre voisin qui vous a vexé, vous réclamez une augmentation à votre patron... et vous appelez quand même cela du silence ! Eh bien non, c'est du tintamarre !

Il y a même des personnes dont on a l'impression d'entendre le bruit intérieur. Elles ont beau ne pas bouger et garder le silence, on entend chez elles un bruit assourdissant. Mais il arrive aussi qu'on rencontre certains êtres, très rares malheureusement, qui semblent environnés de silence. Même lorsqu'ils parlent, il émane d'eux quelque chose de silencieux. Oui, car le silence est une qualité de la vie intérieure. Mais vous ne pourrez me comprendre que lorsque vous aurez réussi à rester au moins quelques minutes dans le vrai silence, ce qui ne vous est peut-être encore jamais arrivé.

Combien on se trompe en pensant que le silence est nécessairement le désert, le vide, l'absence de toute activité, de toute création, en un mot le néant. En réalité, il y a silence et silence... et d'une façon générale on peut dire qu'il en existe deux sortes : celui de la mort et celui de la vie supérieure. C'est ce silence justement qu'il faut comprendre et dont nous parlons ici. Ce silence n'est pas une inertie mais un travail, une activité intense qui se réalise au sein d'une harmonie profonde. Il n'est pas non plus un vide, une absence, mais une plénitude comparable à celle qu'éprouvent les êtres qu'unit un grand amour et qui vivent quelque chose de tellement intense qu'ils ne peuvent l'exprimer ni par des gestes, ni par des mots.

En l'homme, le silence est le résultat d'une harmonie dans les trois plans physique, astral et mental. Donc, pour introduire le silence en vous, vous devez essayer de créer l'harmonie dans le corps physique, les sentiments et les pensées. Il vous est certainement arrivé quelquefois de sentir tout à coup un très profond silence s'installer en vous, comme si le bruit intérieur dont vous ne vous aperceviez pas jusque-là, puisque vous viviez quotidiennement en lui, s'était brusquement interrompu. Ce silence est ressenti comme une libération, un allégement, comme si soudain on sentait un poids tomber de ses épaules, des entraves se délier, des portes s'ouvrir, et qu'enfin, l'âme libérée de sa prison pouvait sortir et se dilater dans l'espace.

Cette expérience qu'il vous a été donné de vivre comme un don du Ciel sans avoir rien fait pour cela, vous pouvez vous efforcer de la répéter, mais consciemment. Un certain nombre d'activités ou d'exercices peuvent vous y aider ; chacun a sa nature, sa couleur particulière et le chant par exemple en est un parmi d'autres. Chanter comme nous le faisons avant et après nos réunions, avant et après les repas, produit un état d'harmonie, de poésie, d'inspiration qui, si nous y mettons notre pensée, notre conscience, apaise les tensions intérieures. Car il faut comprendre que nous ne chantons pas seulement pour le plaisir de chanter, parce que ça nous rend heureux. Non, nous chantons parce que le chant crée en nous un état de vibrations intenses favorable au travail spirituel.

Entre chaque chant, nous faisons une pause silencieuse, et si je prolonge cette pause, vous ne devez pas vous impatienter. Par leur nature, leur inspiration mystique, les chants que nous chantons élèvent notre niveau de conscience et le silence, entre chacun d'eux, reste imprégné de leur pureté, de leur beauté, de leur profondeur. En nous, autour de nous, on sent la présence de courants, d'entités, de lumières. Ce sont là des conditions exceptionnelles... alors pourquoi ne pas les utiliser consciemment ?

Ecouter de la musique peut aussi nous rapprocher du silence. C'est pourquoi, depuis des années, j'ai pris l'habitude, lors de nos réunions de vous faire entendre des messes, des requiem, des oratorios, car cette musique qui est l'expression, le reflet de mondes situés bien au-delà des passions humaines, nous projette par sa puissance au moins pendant quelques minutes dans ce monde supérieur.

Il est inutile d'aspirer à de grandes réalisations spirituelles tant que vous ne parviendrez pas à interrompre le cours bruyant et désordonné de vos pensées, de vos sentiments, car c'est eux qui empêchent que s'établisse en vous le vrai silence, celui qui

répare, apaise, harmonise, rafraîchit… Quand vous
êtes arrivé à réaliser ce silence, vous communiquez
imperceptiblement à tout ce que vous faites un
rythme, une grâce. Vous vous déplacez, vous tou-
chez des objets et c'est comme si tout en vous n'était
que danse et musique. Ce mouvement harmonieux
qui se transmet à toutes les cellules de votre organisme non seulement vous fait du bien, mais il agit
bénéfiquement sur tous les êtres qui vous entourent :
ils se sentent allégés, libérés, éclairés, et ils sont
ensuite poussés à faire des efforts pour retrouver
ces sensations qu'ils ont vécues auprès de vous.

Une autre méthode pour rétablir le silence en soi
est le jeûne. C'est pourquoi toutes les religions ont
préconisé le jeûne et selon les cas elles en ont aussi
fixé les périodes, les modalités. Jeûner, c'est arrêter le fonctionnement de certaines usines, et cet arrêt
produit un grand apaisement dans toutes les cellules. Mais avant que cette paix ne s'installe, il se fait
tout un nettoyage, et ce nettoyage s'accompagne
souvent de beaucoup de bruit, car la circulation
s'accélère, le sang bat aux tempes, on ressent des
bourdonnements d'oreilles, des vertiges, des dou-
leurs dans différentes parties du corps. Ces symptô-
mes viennent de ce que les fauves du parc zoologi-
que intérieur poussent des rugissements par suite du
manque de nourriture. Mais bientôt les fauves se
calment et un grand silence, une grande paix commencent à s'installer.

Le jeûne est, bien entendu, une discipline qui doit être pratiquée raisonnablement et avec prudence pour ne pas créer des perturbations d'une autre sorte dans l'organisme physique et même psychique. En revanche, chanter, écouter de la musique, cela vous pouvez le faire tous les jours sans danger. Bien sûr, je sais que vous n'appréciez pas tellement ces méthodes simples que je vous présente, parce que justement elles sont trop simples. Mais un jour vous reconnaîtrez leur valeur. En attendant, tâchez tout de même de les appliquer.

Plusieurs fois par jour, consacrez au moins quelques minutes à introduire le silence en vous. Fermez les yeux, efforcez-vous de dégager votre pensée des soucis quotidiens et dirigez-la vers les sommets, vers les sources de la vie qui abreuvent tout l'univers. Quand vous sentez que vous avez arrêté le flot de pensées et d'images qui vous traversent, prononcez intérieurement le mot « merci ». Voilà le mot le plus simple, mais qui dénoue toutes les tensions, parce qu'en remerciant vous vous accordez avec le Ciel, vous sortez du cercle rétréci de votre moi pour entrer dans la paix de la conscience cosmique... Restez le plus longtemps possible dans cet état de silence et quand vous reviendrez à vous, vous sentirez que des éléments nouveaux et très précieux se sont introduits en vous : la sérénité, la lucidité et la force. Et puisque la respiration est aussi un facteur d'apaisement et d'harmonisation très impor-

tant, en prononçant le mot merci, tâchez d'avoir
une respiration régulière : aspirez l'air très profondément et expirez très lentement jusqu'à ce qu'il ne
reste plus rien dans les poumons.

Donc, plusieurs fois par jour, habituez-vous à
rétablir le silence en vous. Même si vous ne pouvez
y consacrer qu'une ou deux minutes, c'est bien,
faites-le. Et dès que vous sentez un trouble, un
malaise, faites-le aussi, même dans la rue. Placez-
vous devant une vitrine comme si vous la regardiez,
afin que personne ne se doute de ce que vous êtes
en train de faire ; fermez les yeux quelques secon-
des en essayant de vous isoler par la pensée et de
vous lier au monde de l'harmonie et de la lumière.
Ensuite, poursuivez votre chemin... Ainsi vous neu-
traliserez tous les courants négatifs. Mais si vous
vous laissez démagnétiser et empoisonner, cela prépare le terrain à tous les troubles physiques et psychiques : lentement mais sûrement, vous perdez votre
équilibre, vos forces, ce qui est la meilleure façon
de tomber malade. Car ne vous faites pas d'illusions,
quels que soient les remèdes qu'apporte la science,
il y aura toujours des virus et des microbes, l'air
sera toujours pollué et la nourriture plus ou moins
trafiquée, de terribles tensions psychiques continue-
ront à régner dans le monde et si vous ne prenez
pas de précaution, si vous ne vous liez pas à l'harmonie et à la lumière, peu à peu votre terrain va
se miner et un jour vous succomberez.

Evidemment la question c'est, une fois que vous avez réussi à réaliser ce silence, de pouvoir le conserver. Sinon, à quoi bon tant d'efforts si c'est pour en laisser perdre aussitôt le bénéfice ? Une fois que vous êtes arrivé à introduire le silence en vous par la prière, la méditation, vous devez être vigilant pour ne pas le laisser échapper. Comprenez-moi bien, le but de la vie spirituelle, ce n'est pas d'essayer pendant une demi-heure ou une heure par jour de rétablir le lien avec le monde du silence, de la lumière, et puis oubliant tout cela, de se laisser entraîner à nouveau dans les désordres et les vacarmes de l'existence… pour recommencer le lendemain… car cela n'a pas de sens. Au contraire, la paix, l'harmonie que vous goûtez pendant les méditations doivent vous suivre toute la journée et imprégner tous vos actes.

Il est temps de ne plus se conduire comme des enfants qui, obligés de rester quelques minutes tranquilles, n'attendent que le moment où ils pourront à nouveau crier et gesticuler. Que les enfants se sentent brimés par le silence et l'immobilité, c'est normal, mais vous ce n'est pas normal, et même si vous êtes soumis aux trépidations de la vie quotidienne, vous devez vous efforcer de préserver le silence en vous. Est-ce que vous me comprenez ?…

Mais il ne s'agit pas non plus de se contenter de comprendre. Il faut appliquer. Pour beaucoup de gens, il y a un monde entre la compréhension et l'application. Ils comprennent, ils comprennent, mais quand il s'agit de réaliser, ils ne peuvent pas. Or, dans la Science initiatique, la compréhension n'est pas séparée de la réalisation. Si vous n'arrivez pas à réaliser ce que vous prétendez avoir compris, c'est que vous n'avez pas réellement compris. Si vous aviez compris, vous réaliseriez. Oui, pour les Initiés, savoir c'est pouvoir. Si vous ne pouvez pas, vous ne savez pas, il manque encore certains éléments à votre connaissance pour parvenir à la réalisation.

La réalisation du silence intérieur est un indice de l'évolution des êtres. Seul celui qui, grâce à la connaissance des vérités initiatiques, a su mettre de l'ordre en lui-même, réalise le vrai silence. Et non seulement ce silence lui ouvre les portes de l'illumination, mais il est lui-même une source de bénédictions pour toute l'humanité.

III

LAISSEZ VOS SOUCIS A LA PORTE

Pendant les silences, tâchez de vous dégager de plus en plus des préoccupations de l'existence quotidienne et de libérer votre pensée pour la concentrer sur des idées et des images divines. Bien sûr, c'est difficile, la vie est là avec tous ses problèmes à résoudre auxquels vous ne pouvez pas échapper : la famille, les amis, le travail, la maison, l'argent, etc. Alors dès que vous fermez les yeux, voilà les interrogations, les doutes, les soucis, les chagrins, les regrets qui se présentent et commencent à vous envahir. Mais justement, il ne faut pas vous laisser envahir, il faut faire des efforts pour vous libérer au moins quelques minutes afin de goûter une autre vie.

Quand ils doivent entrer dans une mosquée, les musulmans ôtent leurs chaussures et les laissent à la porte. Eh bien, c'est ce que vous devez faire également avec vos ennuis, afin de pouvoir entrer dans le silence : les laisser dehors pour un moment. Ensuite, vous les reprendrez en sortant si vous y tenez, pourquoi pas ? Il y a des personnes… on a l'impression qu'elles ne peuvent pas vivre sans inquiétude, l'existence est intenable pour elles si elles ne se tourmentent pas, si elles ne sont pas là à frire dans l'huile. Qu'elles se rassurent, il y aura toujours des soucis et des chagrins pour elles, elles n'en manqueront pas. Mais de temps en temps, mon Dieu, on peut bien les oublier !

Comment comprendre les humains ? Un grand nombre de personnes viennent ici au Bonfin participer à nos congrès. Au bout de quelques jours, j'en vois certaines dont le visage est en train de s'allonger, de s'assombrir. Alors je demande ce qui ne va pas. « Oh ! disent-elles, ce n'est pas normal, ce n'est pas normal… - Mais qu'est-ce qui n'est pas normal ? - La vie ici. - Ah ? et pourquoi ? Qu'est-ce qu'elle a d'anormal, la vie ici ? - Eh bien, c'est trop tranquille, trop paisible, trop beau, on n'y est pas habitué. » Vous voyez, les humains sont tellement habitués à se tourmenter que lorsqu'on leur donne la possibilité de vivre quelques journées dans la paix, ils trouvent que c'est anormal. Pour eux, la vie doit être faite de tracas, de heurts, de malentendus. La preuve : devant les conflits, les tragédies, tous disent : « Qu'est-ce que tu veux, mon vieux, c'est la vie ! » Eh bien non, justement, ce n'est pas la vie, ce n'est qu'un degré inférieur de la vie. Ce n'est pas la vraie vie. La vraie vie, on ne la connaît pas. On ne la connaît pas parce qu'on n'a pas compris qu'il y a un travail à faire pour goûter sa beauté, sa pureté, sa lumière.

Dans toutes les civilisations, à toutes les époques, il y a eu au moins quelques êtres qui ont goûté cette qualité de vie supérieure ; ils en ont parlé, ils l'ont décrite et ils ont donné des règles, des préceptes pour que tous ceux qui le désirent, parviennent aussi à la goûter. Et la première condition, c'est de se dégager. Oui, tout simplement cela, se dégager. Il ne faut pas accepter d'être toujours nerveux, inquiet, angoissé. Ce sont les humains qui ont fait la vie telle qu'elle est : bruyante, désordonnée, chaotique, angoissante. Si vous allez consulter l'Intelligence cosmique pour savoir comment elle a, elle, envisagé la vie pour nous, si vous pouviez visiter cette vie, vous verriez qu'elle dépasse tout ce que l'on peut imaginer. Ce sont les humains qui au cours des siècles ont déformé, piétiné, massacré la vie que le Créateur leur a donnée. Et ils continuent ! Tout est fait dans l'existence pour que l'homme se surcharge de plus en plus, car les tentations se multiplient : l'argent, le prestige, la gloire, le pouvoir, les possessions, c'est-à-dire des fardeaux sous lesquels il finit par être écrasé.

C'est pourquoi il est utile parfois de faire une retraite de quelques jours afin d'échapper aux préoccupations, aux soucis. Vous direz : « Mais si l'on

cherche à échapper aux problèmes, on ne les résou-
dra jamais ! » Ah ! c'est là justement que vous vous
trompez. Ce n'est pas parce que vous êtes obsédé
par vos problèmes que vous êtes en train de les
résoudre ; au contraire, souvent, vous les entrete-
nez. Mais oui, si vous n'arrivez pas à les résoudre,
c'est qu'au lieu de les abandonner de temps à autre,
vous les trouvez tellement merveilleux que toute la
journée vous les caressez, vous les cajolez, vous leur
donnez des baisers : et eux, ils grandissent, ils se
nourrissent de votre substance, tandis que vous,
vous êtes par terre.

Alors tâchez d'oublier vos soucis pour un
moment. Ainsi, vous donnerez au moins à vos
cellules le temps de se reprendre, de s'armer et
de se débarrasser des toxines que ces soucis ont
apportées. Lorsqu'on se ronge, on s'intoxique,
le sang se charge d'impuretés et pour que l'organisme puisse les éliminer, il faut accorder un peu
de répit aux cellules ; si elles sont assaillies sans
arrêt, elles n'ont pas le temps de se débarrasser
des poisons. Mais oui ! Alors, quand vous déci-
derez-vous à vous éloigner un moment pour donner aux ouvriers du Ciel, aux amis qui sont là,
la possibilité de rafistoler, de rajuster, d'équilibrer
les choses ? Je vous vois sans arrêt en train
d'embrasser vos chagrins, vos tristesses... quel
amour ! Ou plutôt quelle colle ! et pas moyen de
vous en décoller !

Désormais, tâchez de prendre les moments de silence comme une occasion de laisser vos pensées et vos sentiments tranquilles. Bien sûr, il y a toujours en nous des ouvriers en train de faire leur travail d'organisation, d'harmonisation, mais tant qu'on ne s'est pas calmé, apaisé, tant qu'on n'est pas entré dans le silence, on les dérange. Le silence doit être tout d'abord un repos, un répit, c'est-à-dire la suppression de toutes les mauvaises conditions qui s'opposent au travail des ouvriers célestes en nous.

Mettez donc vos soucis quelque part, dans un coin, oubliez-les et peu de temps après, grâce à votre travail intérieur, vous recevrez une lumière qui vous permettra de trouver la solution. On dit souvent que la nuit porte conseil. Oui, parce que pendant le sommeil on oublie tout, et il se fait un travail dans le subconscient qui permet d'y voir plus clair et de trouver des solutions. Alors, est-ce que vous ne pouvez pas faire consciemment la même chose pour au moins une heure ? Oui, une heure seulement, laissez vos préoccupations à la porte comme si c'était vos chaussures, et entrez dans votre sanctuaire intérieur.

IV

UN EXERCICE : MANGER DANS LE SILENCE

De plus en plus, les gens se plaignent des rythmes de vie accélérés, de l'air pollué, de la nourriture contaminée par des produits toxiques, et c'est vrai qu'il y a de quoi se plaindre ! La vie est difficile et même exténuante parfois... Mais il ne faut pas toujours accuser la vie, on est souvent soi-même responsable de l'état dans lequel on se trouve. Par exemple, on ne voit pas que beaucoup d'anomalies viennent de la façon dont on se nourrit, des conditions dans lesquelles on mange... Or, c'est là justement qu'il y a beaucoup de choses à voir et à rectifier. Combien de fois je vous l'ai dit ! Ce n'est pas tellement ce que vous mangez qui est important, mais l'état d'esprit dans lequel vous le mangez, la façon de considérer la nourriture.

Qu'est-ce que manger ? C'est introduire dans notre organisme des matériaux qui entreront dans la construction de notre corps physique, mais aussi de nos corps subtils. Il est donc particulièrement important d'accomplir cet acte que nous répétons chaque jour, plusieurs fois par jour, dans un état de paix et d'harmonie. Cet état se prépare par le silence, la méditation. C'est pourquoi j'insiste toujours sur l'importance des méditations que nous faisons avant les repas. Je sais que ce n'est pas habituel. On ne verra peut-être nulle part dans le monde des gens qui, avant de manger, restent aussi longtemps dans le silence. La plupart ne font même pas une prière ; tout de suite ils se jettent sur la nourriture, ils avalent en parlant, en se chamaillant, en bousculant les couverts, et c'est pourquoi ils n'en retirent pas de grands bienfaits. Ils n'absorbent que les éléments grossiers de la nourriture ; tous les éléments subtils, éthériques, leur restent étrangers, inconnus.

L'essentiel, pour une bonne nutrition, c'est de manger dans l'harmonie. C'est pourquoi nous préparons par des chants ce silence dans lequel nous allons prendre notre repas. Grâce aux chants nous nous apaisons, nous nous harmonisons. Quand on arrive à table, on est souvent préoccupé, nerveux, agité. Ce n'est pas un bon état pour commencer à manger. Même si on mange en silence, intérieurement on est toujours plus ou moins dans le désordre. La méditation nous aide à nous apaiser, bien sûr, mais le chant peut nous y aider encore davantage, car cette harmonie que nous tirons de nous-

mêmes pour l'exprimer, crée en nous un état vibratoire dont nous sommes les premiers à bénéficier.

Mais la méditation, les chants, la prière, ne sont
pas les seules conditions pour arriver à se nourrir
correctement. C'est tout le repas qu'il faut prendre
dans le silence : ne pas parler et être aussi attentif
à ne pas faire le moindre bruit avec les couverts.
Oui, c'est important. Car en faisant du bruit, on
dérange les autres. Même s'ils n'en sont pas conscients et ne s'en plaignent pas, le bruit des couverts
que l'on heurte ne crée pas de bonnes conditions
pour ceux qui mangent avec vous. Il se peut qu'un
frère, une sœur à côté de vous soit en train de trouver une solution à certains de ses problèmes ou de
recevoir les bénédictions du Ciel. Ne le dérangez pas,
pour qu'il puisse profiter pleinement de ces instants.
Comme nous ignorons à qui l'Esprit vient rendre
visite, et qui est le plus digne de le recevoir, nous
devons avoir l'humilité de laisser les frères et les
sœurs libres d'entrer en contact avec Lui.

Ne pas faire de bruit, cela suppose d'abord que
l'on soit attentif aux objets qu'on a devant soi, à
la façon dont ils sont placés, à leur distance les uns
par rapport aux autres, et ensuite qu'on soit suffisamment capable de contrôler ses gestes pour ne pas
heurter ces objets en les déplaçant ou ne pas les faire
tomber maladroitement. Ainsi, par exemple, quand
on doit se servir à boire, il faut prendre le verre ou
la bouteille en évaluant suffisamment bien les dis-

tances pour ne pas heurter l'assiette, ni aucun objet qui se trouve sur la table. Eh oui, ce sont des détails en apparence, mais ils sont importants, et si vous les prenez au sérieux, vous arriverez un jour à faire des gestes d'une telle liberté que tout votre corps donnera l'impression de danser. Oui, il y a des êtres comme cela : ils ne font pas de gestes étudiés, ils ne prennent aucune pose, et pourtant quand ils se déplacent, quand ils touchent les objets, on a l'impression qu'ils dansent.

Quant à ceux qui ne veulent pas prendre ces détails au sérieux, eh bien c'est qu'ils n'ont pas une bonne vision des choses, car ces exercices d'attention et de maîtrise en réalité ne concernent pas uniquement les repas, mais se reflètent dans toutes les autres activités de la vie quotidienne ; ils peuvent même, dans certains cas, vous sauver la vie. Oui, si les gens étaient un peu plus conscients, attentifs, maîtres d'eux-mêmes, ils auraient moins d'accidents dans le travail, et surtout sur les routes.

Prenons seulement les accidents de voiture qui font chaque année des milliers de morts et de blessés. Il existe tellement de règles et d'indications pour les automobilistes, que les accidents ne devraient pas se produire. S'ils se produisent, c'est que les gens ne sont pas suffisamment habitués dans leur vie de tous les jours à se montrer réfléchis, prudents, attentifs aux objets et aux créatures qui sont autour d'eux. Alors, quand ils prennent leur voiture, ils se conduisent comme s'ils étaient seuls sur la route, ils se montrent négligents, « je-m'en-foutistes ». Il pleut, il y a du brouillard, ça ne fait rien, ils continuent à rouler aussi vite. Il y a là d'autres voitures, tant pis, ils font comme s'ils étaient seuls sur la route. Il y a des arbres, des fossés, des murs, mais ils n'y pensent pas, parce qu'ils n'ont pas appris à tenir compte de ce qu'il y a devant eux, autour d'eux, où, à quelle distance... Eh bien, justement, les repas sont une occasion d'apprendre. Tous les jours, plusieurs fois par jour, vous avez cette occasion. En vous exerçant à manipuler les objets adroitement, sans bruit, vous acquérez cette attention et cette maîtrise tellement indispensables dans la vie, pour vous-même et pour tous ceux qui vous entourent.

Et ce n'est pas tout : la maîtrise que vous acquérez ainsi ne vous sert pas uniquement à contrôler vos gestes, elle vous aide également à contrôler vos paroles, vos réactions vis-à-vis de votre entourage et vous devenez moins maladroits, plus psychologues, vous ne faites plus autant de gaffes, vous passez donc moins de temps à regretter et à réparer, et vous faites du bien partout autour de vous.

Quand vous arrivez à déplacer un objet harmonieusement, déjà vous déclenchez en vous-même des forces bénéfiques qui finiront par agir aussi favorablement sur les autres. C'est pourquoi, si vous vous intéressez à la magie, n'allez pas la chercher dans les rituels ou les grimoires, elle est là, tout près de vous, dans vos gestes. Le jour où vous aurez appris à maîtriser vos gestes, vous deviendrez un véritable mage blanc. La vraie magie ne consiste pas à agir sur les autres, mais d'abord sur soi-même, et elle est basée sur les gestes les plus minuscules de la vie quotidienne. Si vous ne commencez pas par maîtriser vos gestes, vous ne connaîtrez jamais la magie blanche. En revanche, vous pouvez être sûr que vous serez sans cesse exposé à faire de la magie noire, et alors là, attention, car c'est vous qui serez toujours le premier à récolter le bien ou le mal des gestes que vous aurez faits, même si vous les avez faits inconsciemment.

Si vous parvenez à contrôler de plus en plus vos gestes, vos sentiments, vos pensées, c'est votre destinée que vous parviendrez à changer, car notre destinée dépend justement du contrôle que nous sommes capables d'exercer sur tout ce que nous faisons. Justement, qu'est-ce qu'un Maître ? C'est un être qui est parvenu à tout contrôler en lui dans les différents plans, physique, astral, mental. Alors, à ce moment-là, les forces de la nature lui obéissent, les esprits lui obéissent, même les animaux, les plantes et les pierres lui obéissent. Et c'est cela la vraie maîtrise, la vraie royauté.

Mais revenons à la nutrition. En prenant l'habitude de manger dans le silence, vous constaterez bientôt de grands changements. Après le repas, vous vous sentirez rempli d'énergie, tout simplement parce que vous aurez accepté de contrôler vos gestes et de ne pas parler. Et votre pensée aussi sera plus libre, car en réprimant votre désir de parler, vous aurez su la renforcer.

Pour le moment, bien sûr, ce n'est pas encore au point, car même en vous taisant, il vous arrive de manger dans la même attitude intérieure que si vous ne cessiez de bavarder. Vous ruminez vos soucis, vos rancunes, et ainsi vous ne faites pas un bon travail sur vous-même. Le silence est une condition qui prépare le terrain pour un travail, il n'est pas le travail lui-même. Le travail véritable, c'est la concentration libre sur la bonté infinie de Dieu qui a mis tant de bienfaits dans la nourriture. Comme je vous l'ai demandé, vous mangez en silence pour me faire plaisir, mais votre pensée vagabonde, elle n'est pas là, elle s'oppose à ce travail dont elle ne veut pas, je le vois. Me faire plaisir, c'est gentil, mais cette manière de manger, vous devez l'adopter pour vous-même, non pour moi. Pour le moment, le plus important n'est donc pas encore réalisé.

La nourriture, ce sont des forces, des matériaux qui ne viennent pas uniquement de la terre, mais de l'univers entier. Les aliments, les légumes, les fruits, sont des énergies qui se matérialisent exactement comme l'esprit de l'enfant vient se matérialiser dans le sein de sa mère. Un être humain est

avant tout un esprit, mais pour être présent et agissant ici sur la terre, il doit s'incarner. Il ne peut rien
faire dans le plan de la matière s'il n'a pas de corps
physique. Il en est de même pour les animaux et
aussi pour les plantes : ce sont des entités ; bien
qu'elles ne soient évidemment pas aussi évoluées que
l'esprit de l'homme, les plantes sont des entités qui
sont venues s'incarner. Et quand nous mangeons,
nous nous nourrissons du corps de ces entités et ce
corps est imprégné de leurs qualités. Donc, vous
voyez, la nourriture est beaucoup plus que vous
n'imaginiez. Pendant les mois d'hiver, on ne voit
rien, la terre est nue, puis un jour les champs se cou-
vrent de céréales ou de légumes, les arbres portent
des fruits. Où étaient en hiver les éléments qui
permettent soudain aux fruits d'être visibles,
palpables ?...

Ce sont des éléments qui viennent de l'espace,
et même de l'univers entier, que nous absorbons
dans la nourriture. Ils arrivent jusqu'à nous remplis de la vie cosmique, et il est important pour nous
de les recevoir avec la conscience qu'ils formeront
la substance de nos corps physique et psychique. Il
faut donc être très vigilant, d'autant plus que cette
nourriture, qui s'est imprégnée de la vie universelle,
s'imprègne aussi de nos paroles, de nos sentiments,
de nos pensées. Celui qui mange avec colère, en
médisant sur les autres, en pestant contre eux, ne
sait pas qu'il est en train d'imprégner les aliments

de particules empoisonnées et qu'en les absorbant il est en train de s'empoisonner lui-même. Et se taire ne suffit pas non plus : si on doit manger en agitant des pensées et des sentiments hostiles et malveillants à l'égard de son prochain, le résultat sera tout aussi négatif.

Pour recevoir tous les bienfaits de la nourriture, il faut introduire en elle des éléments de lumière et d'éternité, et là c'est la pensée qui a un rôle à jouer. Donc, pendant les repas, essayez de dégager votre pensée de tout autre sujet, même du silence lui-même. Il ne faut même plus que vous soyez préoccupé par le fait de ne pas parler et de ne faire aucun bruit. Vous devez être assez libre pour fixer toute votre attention sur la nourriture en dirigeant sur elle des rayons de votre amour. C'est alors que va s'opérer la séparation entre la matière et l'énergie : la matière se désagrégera, tandis que l'énergie entrera en vous et vous pourrez en disposer.

La nutrition n'est rien d'autre qu'un processus de désintégration de la matière. Des millions d'années avant que les physiciens ne mettent au point la fission de l'atome, l'être humain chaque jour a produit en lui-même ce phénomène. La différence entre la fission de l'atome et la nutrition réside seulement dans la quantité de matière. Manger, c'est apprendre à désagréger la matière et à répartir l'énergie ainsi extraite dans tous les organes : poumons, cerveau, cœur... Mâcher lentement et longuement les aliments représente une première étape de cette désintégration. La deuxième étape est le travail de la pensée qui, tel un rayon extrêmement pénétrant, réussit à s'introduire jusqu'au cœur de la matière, pour en libérer les énergies les plus subtiles afin qu'elles soutiennent le travail de l'âme et de l'esprit.

Pour alimenter la pureté, la bonté, la sagesse et toutes les vertus en nous, nous avons besoin d'énergies déterminées. D'ailleurs, chaque sorte d'activité nécessite des énergies déterminées. Pour le travail manuel, on a besoin d'une certaine sorte d'énergie. Pour le travail intellectuel, l'étude, la concentration, il en faut une autre. Pour le travail spirituel, encore une autre... Et c'est justement dans le silence que l'on capte les énergies psychiques les plus subtiles qui peuvent être utilisées pour le travail spirituel.

Nous abritons en nous d'excellents chimistes qui ont pour fonction de ramasser et de distribuer les éléments dont nous avons besoin pour nous acquitter de nos différentes tâches. Mais encore faut-il reconnaître l'existence de ces chimistes et cultiver à leur égard une attitude de respect, car c'est eux qui possèdent le secret des énergies vitales, et ils savent les répartir entre les différents centres afin d'en assurer le ravitaillement et le fonctionnement. Quand la distribution est bien faite et que chaque centre est correctement alimenté, tout fonctionne parfaitement.

Pour recevoir de la nourriture des énergies plus subtiles que ne peut en extraire le seul système digestif, il faut apprendre à manger dans le silence, mais surtout à manger avec amour. C'est l'amour qui vous permettra de retirer des aliments une énergie qui montera très haut en vous : à ce moment-là vous pourrez l'utiliser pour votre travail spirituel, afin que les forces psychiques puissent agir sur la nourriture et la transforment en pureté, en lumière, en savoir.*

* Sur la nutrition, voir encore le tome 16 des Œuvres Complètes « Hrani Yoga » et le n° 204 de la collection Izvor : « Le yoga de la nutrition ».

V

LE SILENCE, RÉSERVOIR D'ÉNERGIES

A l'heure actuelle, tout le monde se sent obligé de courir, de se démener, parce qu'il faut produire de plus en plus pour vendre de plus en plus et acheter de plus en plus... C'est nécessaire pour l'économie, paraît-il ! Alors voilà, dans l'intérêt de l'économie, on trouve tout à fait normal d'épuiser les humains, et c'est ainsi que l'économie sera magnifique, florissante, tandis que les humains exténués, harassés, seront par terre : leur système nerveux s'use et pas seulement le système nerveux, mais le cœur, l'estomac, les poumons souffrent aussi, car toute cette activité, toute cette production, cette consommation accélérée entraînent une pollution qui empoisonne l'atmosphère, les mers, les forêts, l'eau, la terre, la nourriture, etc. Eh bien, moi je dis que ce n'est pas intelligent, ce n'est pas raisonnable. Une soi-disant « économie » qui gâche, qui détruit, qui

salit, qui gaspille, est-ce que c'est ça, la véritable
économie ? C'est pourquoi il faut trouver le moyen
de rétablir l'équilibre, de recharger les humains
d'énergie pure.

La première chose à faire pour se recharger, c'est
d'apprendre à s'arrêter. Oui, de temps à autre au
cours de la journée faire une pause, s'arrêter de courir, de bouger, de parler. Sinon, c'est comme si vous
laissiez ouverts tous les robinets d'eau, de gaz,
d'électricité : il ne reste bientôt plus rien, toute
l'énergie est partie. L'immobilité, le silence servent
à remplir les réservoirs. Alors, dès que vous le pouvez, arrêtez-vous, fermez les yeux, liez-vous à la
Source de l'énergie et de la lumière : quelques
moments après, vous vous sentirez rechargé et vous
pourrez entreprendre de grands travaux sans épuiser vos réserves.

Lorsque nous nous réunissons pour méditer dans
le silence, c'est ce même exercice que nous faisons :
capter et accumuler des énergies spirituelles qui nous
renforceront et que nous pourrons aussi utiliser pour
notre travail. Mais pour que l'exercice porte vraiment des fruits, vous devez savoir rester complète-
ment immobiles, qu'on n'entende pas le moindre
petit froissement ou craquement ; d'abord parce
qu'il faut que le silence ne soit troublé par aucun
bruit, même le plus imperceptible, et ensuite parce
qu'en ne sachant pas rester absolument immobile,
on perd des énergies. Avant la méditation bougez

autant que vous voulez, mais pendant la méditation ne faites plus le moindre mouvement, sinon vous n'arriverez jamais à concentrer vos énergies pour le travail spirituel.

Vous direz que vous bougez parce que vous avez des fourmis dans les jambes. C'est possible, mais si vous ne pouvez pas dominer ces « fourmis », comment dominerez-vous les fauves dans la vie ? La tâche du disciple d'une Ecole initiatique, c'est justement d'apprendre à se dominer, à se maîtriser pour pouvoir entrer dans le monde du silence et de l'harmonie, car c'est alors que vous vous sentirez magnétisé, rempli de force, prêt à entreprendre le travail : d'un seul coup les réservoirs seront remplis, les batteries rechargées.

Pourquoi nos appareils spirituels sont-ils inactifs ? Parce qu'ils ne reçoivent pas les énergies susceptibles de les faire fonctionner. Si vous mettez de l'eau ou du vin dans le moteur de votre voiture, vous resterez sur place ; si vous ne branchez pas votre radio sur la prise électrique, vous n'entendrez rien : chaque appareil a besoin pour fonctionner d'une énergie de nature particulière. Il en est de même de nos appareils spirituels. Ils ne peuvent fonctionner que grâce aux courants d'énergies pures et lumineuses que nous arrivons à déclencher lorsque nous entrons en contact avec la région du silence.

Maintenant, veillez aussi à ce que les efforts que vous faites pour réaliser le silence et l'immobilité n'entraînent pas une tension. Oui, trop souvent le silence s'accompagne de tensions, car pour ne pas faire de bruit on se crispe. Non, il faut se détendre afin de libérer la pensée, ce n'est qu'à cette condition qu'elle pourra faire son travail. Pour cela, surveillez particulièrement vos mains car, alors que vous pensez être détendu, vos mains sont souvent encore crispées. Les mains expriment plus que tout autre partie du corps notre état intérieur. Regardez comment les gens agitent leurs mains quand ils parlent... Et même lorsqu'ils ne parlent pas, ils les croisent, les décroisent, manipulent des objets sans aucune nécessité, se grattent, griffonnent, pianotent. Immobiliser et détendre les mains est une des choses parmi les plus difficiles. C'est pourquoi observez bien vos mains : si vous arrivez à les détendre elles aussi, vous sentirez un bien-être se communiquer jusqu'à votre plexus solaire.

Maintenant, ces énergies que nous arrivons à capter dans le silence, il faut apprendre à ne pas les utiliser uniquement pour soi-même, mais à les rassembler afin de faire un travail pour le bien de toute l'humanité : projeter dans le monde des ondes harmonieuses, des courants puissants que capteront tous ceux qui vibrent à l'unisson avec cet idéal du Royaume de Dieu sur la terre, et leur conscience s'éveillera un jour pour ce travail.

Il y a quelques années, des chercheurs ont tenté de mettre au point un projet de piles électriques en se servant du sable du désert. Grâce à ces piles, ils pensaient pouvoir alimenter des pays entiers en électricité. Je ne sais où en est ce projet... De toute façon, ce qui m'intéresse, moi, c'est l'analogie qui existe entre les phénomènes du monde physique et ceux des mondes psychique et spirituel. Et justement, je vois les humains comme les grains de sable du désert, des grains de sable qui peuvent se réunir pour former une pile qui déversera des bénédictions sur le monde entier. Mais c'est bien là, malheureusement, la dernière de leurs préoccupations. Ils sont plutôt habitués à utiliser leurs énergies les uns contre les autres ; la possibilité de faire fusionner ces énergies pour produire une force unique, une lumière formidable qui pourrait aider le monde entier, ça ne leur vient pas à l'idée, et si vous leur parlez de ces possibilités, ils vous regardent tout étonnés. Eh bien, il faut qu'ils sachent qu'une des lois les plus importantes qu'ils ont à connaître, c'est que leur destinée dépend de l'usage qu'ils font de leurs énergies, à quoi ils les consacrent.

Les humains pensent qu'ils ont tous les droits d'utiliser leurs énergies comme ils l'entendent, de les gâcher même, si ça leur fait plaisir. Eh non, ces énergies sont précieuses, l'Intelligence cosmique ne tolère pas qu'on les gaspille, et ils seront obligés de rendre compte un jour de la façon dont ils les ont dépensées, dans quelle direction, pour quelles raisons et dans quel but.

Il faut donc éclairer les humains, leur montrer où est leur intérêt, où est leur salut... Mais veulent-ils vraiment comprendre ? Ils ont toujours de bonnes excuses à donner pour justifier leurs comportements égoïstes et déraisonnables. Si on pouvait leur faire comprendre qu'entasser du savoir sans rien appliquer est inutile ! Quoi qu'on leur dise, ils écoutent, ils enregistrent, ils comprennent même, mais ils ne font rien. Le savoir c'est bien, oui, mais l'essentiel, c'est ce qu'on peut faire de bon avec ce savoir.

Dès que vous apprenez une vérité de la Science initiatique, vous devez vous préoccuper de la mettre en pratique, donc de faire intervenir votre volonté. Oui, la volonté est un des facteurs prépondérants chez les véritables Initiés. Et c'est peut-être en cela qu'ils diffèrent le plus des intellectuels qui lisent des livres et entassent des connaissances mais ne les utilisent pas... sauf pour les répéter à d'autres ! Il est donc temps de vous servir de vos connaissances pour transformer et améliorer les choses en vous-même et dans le monde. D'ailleurs, sachez que si vous ne vous décidez pas vous-même à faire quelque chose, ce seront les désagréments de la vie qui vous y obligeront. Et vous irez à droite, à gauche, en vous arrachant les cheveux. Oui, s'arracher les cheveux, voilà ce qui s'appelle faire quelque chose !

Je vous ai souvent dit que les pensées et les sentiments collectifs forment un « égrégore », c'est-à-dire un être spirituel d'une très grande puissance. Pendant les silences, grâce à notre union, à notre consentement, à notre volonté de travailler pour le Royaume de Dieu, nous formons nous aussi un égrégore qui se nourrit, se renforce et agit pour le bien du monde entier. Alors décidez-vous, pendant les méditations travaillez à émaner et à propager l'amour et la lumière dans le monde ; un jour votre nom sera écrit dans le Livre de la Vie éternelle.

Sincèrement, je vous le dis, quand vous aurez plus tard la possibilité d'analyser les différents événements de votre existence, vous serez obligé de constater que les moments que vous avez passés avec la Fraternité dans les méditations, les chants, les prières, le silence, auront été les moments les plus précieux de votre vie. Maintenant vous ne le voyez pas, vous ne le sentez pas, mais un jour quand vous verrez les choses avec plus de clarté, vous comprendrez à quel travail vous avez participé. A ce moment-là vous direz : « Que Dieu soit loué ! Que Dieu soit béni de m'avoir permis de participer à cette œuvre grandiose ! » Et quand on vous montrera les conséquences, les résultats, la beauté de cette activité, les merveilles qui se produisent dans le monde entier à cause d'elle, vous serez ébloui. Car ce travail auquel je vous demande de participer a déjà été commencé en haut par les anges, par les divinités ; et nous, sur la terre, nous voulons seulement ouvrir une porte et donner nos énergies pour que ce travail divin puisse descendre et se réaliser aussi dans le plan physique.

VI

LES HABITANTS DU SILENCE

Nous avons besoin du silence et particulièrement du silence de la nature, parce que c'est dans la nature que nous avons nos racines. Lorsqu'on se trouve seul dans la forêt, dans la montagne, il arrive qu'on se sente transporté dans un passé très lointain, à l'époque où les humains vivaient en communion avec les forces et les esprits de la nature. Et même alors, si on entend soudain un chant d'oiseau, ou le bruit d'une cascade, on sent que ces sonorités participent au silence. Elles ne le détruisent pas, au contraire elles le soulignent. Car quelquefois on n'est pas conscient du silence, on n'y fait pas attention. Il faut un bruit comme le craquement d'une branche, le cri d'un oiseau ou la chute d'une pierre pour éprouver soudain intensément la sensation du silence. Même le grondement sourd des vagues ne détruit pas le profond silence de la mer ou de l'océan.

Beaucoup de gens confondent silence et solitude, c'est pourquoi ils ont peur du silence : ils ont peur d'être seuls. En réalité le silence est un lieu habité. Si vous voulez ne jamais être ni pauvre, ni seul, recherchez le silence. Car le vrai silence est peuplé d'êtres innombrables. Le Créateur a placé partout des habitants : dans les forêts, les lacs, les océans, les montagnes, et aussi sous la terre... Et même le feu est habité, l'éther, les étoiles ; tout est habité.

Malheureusement, le bruit de la vie civilisée qui finit peu à peu par tout envahir et l'existence de plus en plus matérialiste et ordinaire des humains, ont créé des conditions contraires au séjour parmi eux des entités du monde invisible, et elles s'enfuient loin des lieux qu'ils occupent. Ce n'est pas qu'elles n'aiment pas les humains, mais comment peuvent-elles rester dans des endroits qu'ils ne cessent de troubler et de saccager par leur manque de respect, leur grossièreté, leur violence ?... Elles se retirent de plus en plus dans des régions inaccessibles pour eux. J'ai déjà vérifié cela. C'est ainsi qu'aux Etats-Unis dans le parc de Yosemite, j'ai vu des arbres magnifiques de près de 4000 ans, mais ils n'étaient plus habités : les dévas étaient partis parce qu'il y avait trop de visiteurs, trop de bruit, trop d'agitation, ils avaient quitté cette région si belle. Dans presque tous les arbres vit une créature, mais dans ce parc ces arbres gigantesques n'étaient plus ni vivants ni expressifs, car ils n'étaient plus habités.

Comme les sages qui s'isolent dans les déserts, sur les montagnes ou dans les grottes, afin d'échapper au bruit et à l'agitation des humains inconscients, les esprits lumineux de la nature vont se réfugier dans des lieux que les humains n'ont pas encore pu salir et troubler. Vous direz : « Mais ils ne peuvent rien supporter, ils sont bien faibles ! » Pensez ce que vous voulez.

Dans la plupart des mythologies, la montagne est présentée comme le séjour des dieux. Cela peut être considéré comme un symbole, mais c'est aussi une réalité : les hauts sommets des montagnes sont comme des antennes grâce auxquelles la terre touche le Ciel, et c'est pourquoi ils sont habités par des entités très pures et très puissantes. Plus l'homme s'élève sur les montagnes, plus il rencontre le silence, et dans ce silence il découvre l'origine des choses, il s'unit à la Cause première, il entre dans l'océan de la lumière divine.

Malheureusement, de nos jours, avec le perfectionnement des moyens de transport, on voit de plus en plus de gens aller à la montagne ; cela devient même une mode : ils vont aux sports d'hiver pour se distraire, s'amuser et raconter ensuite qu'ils ont descendu telle pente, escaladé tel sommet... Et au lieu de respecter le silence de la montagne, de se laisser influencer par lui pour découvrir des états de conscience supérieurs, ils se conduisent comme partout ailleurs : ils apportent leur vin, ils apportent

leur jambon, leurs cigarettes, leur musique cacophonique et ils crient, plaisantent, se chamaillent...
Comme s'il n'y avait pas d'autres endroits pour fes-
toyer et faire du bruit ! C'est ainsi qu'ils dérangent
énormément les habitants de ces régions.

Mais personne ne dit aux gens que par leur inat-
tention, leur manque de respect, ils troublent
l'atmosphère et gênent toutes ces créatures. Si ça
dure trop longtemps, un jour elles s'en vont ailleurs,
là où il y a vraiment le silence, là où les humains
peuvent très difficilement avoir accès. Et une fois
que ces entités se sont éloignées des endroits qu'elles
habitaient, ces endroits perdent leur mystère, leur
caractère sacré, ils ne sont plus aussi imprégnés de
lumière et de force spirituelle, et c'est dommage.

Donc, voilà, c'est clair, si vous n'allez pas sur
les montagnes dans un état d'esprit convenable, les
créatures invisibles prennent des précautions, elles
s'éloignent et vous ne recevez rien d'elles. C'est
pourquoi vous retournez chez vous aussi limité,
aussi borné qu'avant ; et même ce séjour ne peut
pas être tellement bénéfique à votre santé puisque
l'état physique dépend beaucoup de l'état psychique.

Alors, à quoi cela sert-il de gravir les sommets
des montagnes si l'on ne doit pas revenir plus pur,
plus fort, plus noble et en meilleure santé ?... si l'on
n'a pas compris que l'ascension des montagnes
physiques est une image de l'ascension des montagnes spirituelles ?... Monter et descendre... Mon-

ter, c'est se défaire, au fur et à mesure, de tout ce qui nous encombre, nous alourdit, jusqu'à trouver le silence, la pureté, la lumière, l'immensité et sentir l'ordre divin s'introduire en nous... Quant à descendre, ce n'est même pas la peine d'expliquer en détail ce que c'est, vous avez compris : c'est le retour du bruit dans les pensées et les sentiments, le retour à l'agitation, au désordre, aux tiraillements intérieurs. Oui, voilà comment on apprend à lire dans le grand livre de la nature : en s'habituant à interpréter ses différentes manifestations.

Où que vous alliez, sur les montagnes, dans les forêts, au bord des lacs ou des océans, si vous voulez vous manifester comme des enfants de Dieu qui aspirent à une vie plus subtile, plus lumineuse, vous devez vous montrer conscients de la présence des créatures éthériques qui les habitent. Approchez-vous d'elles avec respect et recueillement, commencez par les saluer, témoignez-leur votre amitié, votre amour et demandez-leur leurs bénédictions. Ces créatures qui vous aperçoivent de loin sont tellement émerveillées de votre attitude qu'elles se préparent à déverser sur vous leurs présents : la paix, la lumière, l'énergie pure. Vous vous sentez alors baignés, enveloppés par l'amour et l'émerveillement de ces êtres spirituels et quand vous redescendez vers les vallées, vers les villes, vous remportez avec vous toute cette richesse, mais aussi des révélations, des idées plus larges, plus vastes.

Et puis enfin, vous avez en plus la joie de savoir que vous contribuez à garder à certains endroits leurs habitants célestes ou même à attirer de nouvelles présences. Oui, n'oubliez jamais que c'est dans le silence que vous préparez les conditions favorables pour la manifestation des entités divines. Car ces entités ont besoin du silence, elles attendent toujours ces conditions que les humains ne leur donnent que très rarement. Alors, désormais, apprenez à aimer ce silence, pensez à créer partout autour de vous une atmosphère spirituelle de silence et d'harmonie afin de préparer la venue des êtres lumineux et puissants.

VII

L'HARMONIE,
CONDITION DU SILENCE INTÉRIEUR

Vous n'arriverez à réaliser véritablement le silence en vous que si vous commencez par travailler sur l'harmonie. Chaque jour, plusieurs fois par jour, arrêtez-vous pour observer ce qui se passe en vous, et dès que vous remarquez le moindre trouble, la moindre dissonance, efforcez-vous d'y remédier. Sinon, au moment où vous voudrez méditer et entrer dans le silence, vous n'y parviendrez pas, vous sentirez toujours quelques grincements, quelques remue-ménage. Le silence intérieur est un état tellement difficile à atteindre ! C'est toute la journée qu'il faut s'efforcer de lui préparer les conditions, et justement, l'harmonie est la première condition.

Donc, observez-vous, c'est facile. Si vous sentez que vous commencez à être nerveux, impatient, irritable à l'égard des autres, inutile d'aller chercher des excuses ou des explications ailleurs : vous avez

laissé la désharmonie s'infiltrer en vous et dans ces
conditions, jamais vous ne goûterez le vrai silence.
Beaucoup s'imaginent que sans s'y être préparés,
ils feront certaines expériences spirituelles et auront
la révélation du monde divin. Eh non. C'est comme
pour réussir une expérience de chimie : il faut remplir certaines conditions, doser correctement les éléments, régler la température, etc. Si vous ne respec-
tez pas ces règles, tant pis pour vous, vous raterez
l'expérience.

L'harmonie est la clé qui vous ouvre les portes
de la région du silence : harmonie dans le plan physique, harmonie dans les sentiments, harmonie dans
les pensées. Tant que vous ne vous êtes pas imprégné de ce mot « harmonie », vous ne devez rien
attendre du Ciel, vous serez toujours exclu de ses
bénédictions.

Mais je sens très bien que lorsque je vous parle
de l'harmonie, cela ne vous dit pas grand-chose,
vous n'en voyez pas tellement l'intérêt. Et pourtant
c'est essentiel, c'est fondamental. Imaginez que vous
souffliez violemment sur une branche fleurie : voilà
tous les pétales qui s'envolent dans tous les sens ;
il ne reste plus rien de cet ordre, de cet agencement
qui en faisaient toute la beauté. Eh bien, c'est ce
que vous faites aussi en vous lorsque vous vous laissez aller à la colère, à la jalousie, à la cupidité, à
la sensualité : vous produisez un souffle, un cou-
rant qui trouble la disposition des atomes et des élec-

trons en vous, et c'est la perturbation de cette organisation intérieure qui est à l'origine des maladies
psychiques ou même physiques et qui vous coupe
du monde spirituel. C'est pourquoi, lorsque vous
éprouvez un trouble, un malaise, parlez à vos cellules, dites-leur : « Allons, apaisez-vous, je vous
envoie des ondes d'harmonie et d'amour, soyez
obéissantes, reprenez votre travail. » Ne laissez
jamais un état négatif s'installer en vous, tâchez d'y
remédier immédiatement.

Lorsqu'on est parvenu à créer l'harmonie, on
se sent bien. C'est comme ça. Même si on n'a
aucune raison particulière de se réjouir, on se sent
heureux, dilaté. Et inversement, lorsqu'on est dans
la désharmonie, on se sent mal, sans raison apparente non plus. Oui, c'est clair, l'harmonie est la
base du bien-être, et si l'on ne vit pas dans l'harmonie, on ne peut pas se sentir bien, même si aucun
événement particulier n'est venu nous troubler.

Malheureusement, combien de gens nourrissent
ce préjugé stupide qu'en se mettant en accord avec
les lois de l'harmonie, ils deviendront esclaves. C'est
précisément le contraire : on devient réellement
esclave si l'on ne se conforme pas à ces lois. Tous
ceux qui n'ont pas voulu s'y conformer sont deve-
nus les victimes des forces chaotiques qu'ils avaient
déchaînées en eux-mêmes et chez les autres. C'est
pour vous rendre libre que je vous parle de la nécessité de travailler sur l'harmonie. Je n'ai jamais voulu

porter atteinte à votre liberté. Que ferais-je de votre liberté ? La mienne me suffit.

Je mesure la qualité des êtres que je rencontre à l'harmonie qu'ils apportent. Et cela se sent tout de suite ; rien qu'aux gestes, aux regards, au son de la voix. En entendant parler certaines personnes, on se sent démoli, comme si on recevait des coups dans le plexus solaire et avec d'autres, au contraire, on est dilaté. Je me souviens de la voix du Maître Peter Deunov : elle était très douce et elle nous apaisait en même temps qu'elle nous renforçait. C'est pourquoi nous sortions de ses conférences dans un état d'équilibre et de bien-être extraordinaire. Moi aussi je tâche, en vous parlant, de créer l'harmonie en vous, mais il faut que de votre côté vous soyez conscients des bienfaits que vous en retirerez, et que vous travailliez à entrer dans cette harmonie.

L'Enseignement de la Fraternité Blanche Universelle est là pour élargir nos horizons, notre vision du monde, et nous présenter des activités nouvelles susceptibles de nous rendre meilleurs, mieux portants, heureux et de nous faire vivre dans la paix. Ceux qui ne veulent pas comprendre cela n'ont rien à faire ici dans une école où on apprend l'harmonie : qu'ils aillent ailleurs ! Qu'ils sachent qu'à la Fraternité nous cultivons le respect du prochain, la conscience collective. C'est pourquoi dans nos réunions, j'insiste avant tout sur l'harmonie, afin que dans cette atmosphère tous ceux qui viendront sentent et comprennent ce qu'aucun discours, aucune explication ne pourra jamais leur faire sentir et comprendre.

Celui qui dit : « Je suis libre de faire ce qui me plaît, tant pis si je dérange les autres » ne sait pas qu'il est en train d'employer la formule la plus dangereuse qui soit, car elle détruit la bonne entente, elle détruit la fraternité. La première condition de la fraternité, c'est de respecter l'harmonie et même d'y contribuer afin que les autres aient les meilleures conditions pour évoluer. En agissant ainsi pour les autres, on agit aussi pour soi-même, car on bénéficie de cette ambiance que l'on a créée. Chacun doit être conscient, vigilant, et se dire que s'il vient aux réunions avec son bruit, son désordre intérieur, sans se préoccuper des effets que sa conduite produira sur les autres, jamais nous n'aurons les conditions favorables à la visite des entités célestes, et tous y perdront.

Oui, c'est cela qu'il faut comprendre : que celui qui travaille pour créer l'harmonie est le premier à en bénéficier, car il crée les conditions pour que les meilleures choses puissent se réaliser. Alors que la désharmonie, au contraire, crée les conditions pour que les meilleures choses s'effritent. Celui qui laisse s'introduire la désharmonie ouvre la porte aux complications et aux échecs. On a vu des familles qui avaient tout pour être heureuses et remporter des

succès : la santé, l'intelligence, la fortune... mais
voilà que la désharmonie commençait à s'installer
entre leurs membres, et peu à peu elles périclitaient.
Rien ne pouvait les sauver, ni l'intelligence, ni
l'argent : la désharmonie finissait par tout détruire.
Car justement, le propre de la désharmonie est de
produire la dislocation entre les éléments. Et pour
l'homme aussi : rien n'est aussi susceptible de
l'affaiblir que la désharmonie. Qu'il laisse pénétrer
la désharmonie dans ses pensées, ses sentiments ou
sa volonté, il ne fera plus rien de bon.

Il serait tellement souhaitable qu'on éduque les
enfants dans cette idée de l'harmonie : comment
la créer, mais aussi comment la préserver en soi
et non seulement en soi, mais en dehors de soi. Imaginez que vous sortiez le matin de chez vous pour
aller au travail et que sur votre chemin vous rencontriez une centaine de personnes qui vous adres-
sent chacune un regard plein de lumière et
d'amour... dans quel état serez-vous ensuite ?
Malheureusement, la réalité c'est qu'on croise au
contraire dans les rues tant de gens qui jettent des
regards inexpressifs et hostiles, que l'on est déma-
gnétisé. On se demande comment ces gens se
conduisent dans leur famille, et surtout comment
celle-ci peut les supporter ! Pourquoi est-on tellement avare d'un sourire, d'un bon regard, de tout
ce qui peut apporter l'harmonie ? Que perdrez-vous
à donner de temps en temps quelque chose de vous ?

Vous ne connaissez pas votre richesse et vous ne savez pas la distribuer.

L'être humain vit dans l'organisme cosmique, il en fait partie, il est une cellule de ce corps gigantesque qui est le corps de l'univers, Adam Kadmon, comme l'appelle la Kabbale, et quoi qu'il veuille ou quoi qu'il fasse, il ne peut s'en séparer. C'est de lui qu'il reçoit la vie et tous les éléments qui lui permettent de subsister : la nourriture, l'eau, l'air, la lumière. Si sa conscience ne participe pas à cette réalité, bien sûr il se coupe d'une certaine façon de cet organisme et il se prive de cette vie, de ce soutien.

Mais voilà qui est certainement nouveau pour la plupart d'entre vous. Depuis des siècles et des siècles on éduque si mal les humains qu'on ne leur a jamais appris quelle devait être leur attitude à l'égard de la nature, de ce corps cosmique dont ils font partie. Ils se montrent négligents, grossiers, ils ne sont attentifs ni à leurs actes, ni à leurs sentiments, ni à leurs pensées, c'est ainsi qu'ils introduisent la désharmonie dans l'organisme cosmique, et celui-ci cherche à se défendre en leur donnant quelques bonnes leçons. Oui, si on ne manifeste ni sagesse, ni amour, ni respect, on dérange quelque chose dans le fonctionnement du corps universel, on est comme une tumeur quelque part dans ce corps. Et que fait-on d'une tumeur ? Le chirurgien l'enlève. Le jour où l'homme cessera de déranger le corps de l'univers — non seulement son corps physique, mais ses

corps éthérique et astral — il aura la santé, la beauté,
la force, la richesse, le bonheur. Saint Paul dit :
« Nous vivons et nous nous mouvons en lui ; en lui
nous avons notre existence. » Oui, nous sommes
comme une cellule dans le corps de la nature qui
est le corps du Seigneur. C'est pourquoi nous devons
chaque jour penser à nous harmoniser avec l'univers, avec les habitants de ses différentes régions,
même si nous ne les connaissons pas, même si nous
ne savons pas où ils se trouvent.

Les humains ont réussi à introduire un peu
d'harmonie dans leurs familles, leurs villes, et même
entre certains pays, parce qu'ils ont compris qu'ils
y avaient intérêt. Oui, ils sont quand même assez
intelligents et raisonnables pour comprendre qu'il
n'est pas avantageux d'être toujours en train de se
chamailler et de se battre. Mais ce sont là des raisons égoïstes qui ne manifestent pas une véritable
compréhension de l'harmonie. Il faut maintenant
chercher l'harmonie par amour de l'harmonie, par
besoin de l'harmonie, par besoin d'entrer dans la
symphonie universelle. C'est ainsi que vous ouvri-
rez les portes aux forces et aux entités lumineuses
de la nature qui s'engouffreront et s'installeront en
vous. S'harmoniser, c'est s'ouvrir, et cette ouverture est la condition pour que les forces lumineuses pénètrent en vous.

Certains diront : « Oui, mais comment
s'ouvrir ? » C'est simple : en aimant. Quand on

aime, l'harmonie s'installe et alors les portes s'ouvrent, les fenêtres s'ouvrent et toutes les bénédictions célestes entrent en vous. En réalité, il existe au moins deux méthodes pour travailler sur l'harmonie. La première est la pensée : vous imaginez que vous vous accordez avec tous les êtres qui vous entourent. La deuxième est l'amour. La première méthode est bonne, mais elle n'est pas tellement rapide et efficace ; il faut des années et des années pour arriver à penser qu'on est en accord avec toutes les créatures. Tandis qu'avec l'amour, l'harmonie se fait immédiatement. Vous dites seulement : « Je vous aime » et ça y est, l'accord se fait d'un seul coup.

S'harmoniser, c'est envoyer un sourire, un regard d'amour, une fusée d'amour, des projectiles d'amour à toutes les créatures lumineuses de l'espace en leur disant : « Ô vous qui peuplez l'immensité, je vous aime, je vous comprends, je suis en harmonie avec vous. » Vous ne savez pas encore tout ce que vous pouvez faire grâce à votre amour. Vous vous contentez de le diriger sur quelques créatures terrestres, et bien sûr, vous pouvez envoyer vos pensées, vos sentiments, vos regards aux humains, c'est bien, mais c'est très peu, et ce n'est même pas sûr qu'ils en profitent. Tandis que si vous envoyez votre amour aux entités sublimes, là où personne ne s'est peut-être aperçu que quelque chose était envoyé dans l'espace, ces entités au contraire

le reçoivent, se réjouissent et vous renvoient cet
amour au centuple. C'est cela les vrais échanges,
la vraie communion, la fusion avec l'Ame
universelle.

Certains qui ont vécu un grand amour pensent
qu'ils ont goûté la vraie vie. Ils ont peut-être goûté
quelque chose de grand, de beau, mais en réalité
ça pâlit, ce n'est rien à côté des splendeurs de la vie
divine. Oui, parce que les émotions de l'amour
humain sont toujours plus ou moins entachées
d'égoïsme, de sensualité, elles sont donc liées à la
nature inférieure : la personnalité. Et tout ce qui
est lié à la personnalité est loin d'être idéal, parfait.
Pour arriver à élever son amour jusqu'aux régions
divines, il faut être libre, dégagé des préoccupations,
complications et calculs égoïstes.

Les Initiés sont catégoriques : on ne peut pas
entrer dans leur école si l'on n'a pas su d'abord travailler sur l'harmonie. C'est pourquoi très peu parmi
vous sont dans une telle école. Vous direz : « Mais
comment, nous sommes déjà dans une école ! »
Oui, physiquement vous êtes peut-être nombreux,
mais spirituellement il y en a très peu qui y ont une
toute petite entrée. Quand des êtres ont reçu ce droit
d'entrer dans l'Ecole divine, cela se voit, cela se
sent : ils bénéficient de cette harmonie céleste.

Sur la caisse de votre violon (le corps physique)
sont fixées quatre cordes : le sol, le cœur ; le ré,

l'intellect ; le la, l'âme ; et le mi, l'esprit. Mais comment ferez-vous pour jouer s'il est désaccordé ?... Si vous voulez être un bon violoniste capable de tirer des sons mélodieux de ces différentes cordes que sont le cœur, l'intellect, l'âme et l'esprit, pensez chaque jour à introduire l'harmonie en vous, à l'absorber, à la respirer. Quand elle aura pénétré dans toutes les régions de votre être et vous aura accordé comme un instrument, c'est l'esprit divin lui-même qui viendra jouer sur vous.

L'harmonie est le résultat de l'union de l'intellect et du cœur, de l'âme et de l'esprit. Au moment où votre âme se fusionne avec l'Esprit cosmique, vous goûtez l'extase. Car c'est cela, l'extase : cet éclair qui se produit au moment où l'âme humaine s'unit à l'Esprit. Dans ce feu intense, cet embrasement, toutes les impuretés sont brûlées et vous êtes enfin dégagé, libre... Vous volez dans l'espace, vous vous fondez dans l'harmonie universelle.

VIII

LE SILENCE, CONDITION DE LA PENSÉE

I

La véritable puissance de l'homme est celle de la pensée. Vous le savez et tout le monde le sait, c'est la pensée qui dirige, qui réalise, qui crée. Mais pour travailler, la pensée a besoin de certaines conditions et l'une des conditions essentielles est le silence. Voilà ce qui n'a pas encore été bien compris par la majorité des gens, car ce qu'ils appellent généralement pensée n'est trop souvent qu'une agitation de l'intellect. On cherche la petite bête chez son voisin, on se demande comment évincer un concurrent, on fait des projets de carrière politique et on appelle cela pensée ! Eh bien non, cela s'appelle en réalité être le jouet de ses instincts, de ses caprices, de ses ambitions... tout ce que vous voulez, mais pas penser.

Et c'est une erreur aussi de croire que c'est dans les discussions, les confrontations et les controverses, que la pensée se développe. Il y a certainement quelque chose qui se développe, mais en tout cas ce n'est pas la pensée pure. C'est pourquoi la méditation est un exercice tellement difficile pour la majorité des humains : parce qu'ils ne savent pas ce qu'est réellement la pensée, ni comment s'en servir. Ils s'imaginent qu'ils vont entrer dans le monde du silence comme cela, sans préparation, avec un instrument bruyant qui va en réalité troubler le silence. Car c'est bien cela qui se produit, c'est leur pensée mal maîtrisée qui trouble le silence : elle court à droite et à gauche bousculant tout sur son passage.

La région de la véritable pensée est le plan causal, c'est-à-dire le plan mental supérieur ; plus elle descend et s'éloigne de ces hauteurs, plus elle est entravée, détournée. Or, pour faire face à tous les problèmes de la vie quotidienne auxquels l'homme est confronté, sa pensée est obligée de descendre et de s'habiller de vêtements épais, grossiers ; sous ces vêtements, elle devient bien sûr méconnaissable, et elle s'affaiblit. C'est en haut que la pensée est toute-puissante ; dès qu'elle descend dans les régions de l'intellect (plan mental inférieur) et du cœur (plan astral), elle se couvre d'impuretés, et n'étant plus aussi vierge, elle perd presque toute sa force de pénétration. Si vous voulez que votre pensée retrouve sa vraie puissance pour méditer, vous lier au Ciel, vous devez monter jusqu'au plan causal où règne le silence absolu.

En vous observant bien, vous constaterez que, plus vous vous élevez sur les cimes des hautes montagnes spirituelles, plus vous vous apaisez ; l'ordre divin se rétablit en vous et vous sentez d'un seul coup le silence, comme si toutes vos cellules s'étaient harmonisées. Dans cette paix, cette harmonie, la pensée libérée peut prendre son essor, s'envoler dans l'espace, plonger dans l'océan de lumière. Rien ne peut plus entraver le mouvement de ses ailes puissantes. Au contraire, plus vous descendez dans les plaines, spirituellement parlant, plus il se fait du bruit dans vos pensées et vos sentiments, et lorsque vous voulez vous concentrer sur le Créateur, sur la Mère Divine, vous ne pouvez pas. C'est comme si toute une meute de chiens s'accrochait à vous, vous devez vous débattre, lutter, pour vous arracher à leurs mâchoires, et quelquefois en vain.

Eh oui, vous dites que vous méditez, mais Dieu sait seulement si, quand vous êtes resté dans le silence, vous avez su diriger vos pensées vers les plans supérieurs !... Quels sont les sujets, les images et les souvenirs sur lesquels vous vous êtes attardé ? Toujours sur ce qui est terre à terre : comment vous avez mangé et bu, comment vous vous êtes chamaillé ou embrassé... A cause de tout ce tapage, vous n'êtes pas encore parvenu à projeter au moins pour quelques minutes votre pensée jusqu'aux régions de l'âme et de l'esprit.

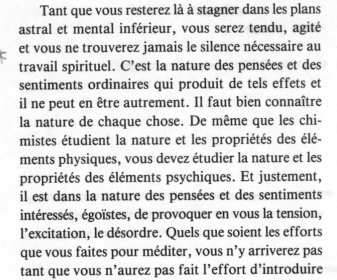

Tant que vous resterez là à stagner dans les plans astral et mental inférieur, vous serez tendu, agité et vous ne trouverez jamais le silence nécessaire au travail spirituel. C'est la nature des pensées et des sentiments ordinaires qui produit de tels effets et il ne peut en être autrement. Il faut bien connaître la nature de chaque chose. De même que les chimistes étudient la nature et les propriétés des éléments physiques, vous devez étudier la nature et les propriétés des éléments psychiques. Et justement, il est dans la nature des pensées et des sentiments intéressés, égoïstes, de provoquer en vous la tension, l'excitation, le désordre. Quels que soient les efforts que vous faites pour méditer, vous n'y arriverez pas tant que vous n'aurez pas fait l'effort d'introduire le silence en vous.

Penser, c'est d'abord être capable de se dégager des préoccupations quotidiennes afin de se concentrer de façon désintéressée sur un sujet de nature philosophique, spirituelle. Penser doit nous servir à progresser dans la voie de la compréhension de l'être humain, de l'univers, de Dieu Lui-même. Et cette compréhension ne s'obtient pas par la lecture des livres et les discussions. C'est dans le silence que le savoir immémorial, enfoui au plus profond de nous-même, parvient peu à peu à la conscience. L'homme, microcosme reflet du macrocosme, est le dépositaire de toute la mémoire du monde. Il possède les archives de l'univers, ces archives qui sont aussi représentées symboliquement dans l'Arbre séphirotique par la séphira Daath, le savoir. Daath, c'est la matière originelle, la matière primordiale sur laquelle, au commencement du monde, Dieu a fait passer son souffle pour la fertiliser. C'est parce qu'elle est la substance de la Création que la matière est capable de contenir la mémoire. Et l'esprit éveille cette mémoire en effleurant la matière comme le souffle du vent fait vibrer les cordes d'une harpe éolienne. Le silence prépare les conditions pour que s'éveille en nous cette mémoire originelle.

Les bienfaits du silence, voilà ce qu'un instructeur peut nous apprendre de plus utile, ainsi que les conditions qu'il nous donne pour notre évolution. Il faut donc s'habituer, prendre plaisir à ces concentrations, à ces méditations. Tout d'abord très peu de temps, quelques minutes seulement, et ensuite, peu à peu, augmenter, prolonger... jusqu'à parvenir à entrer véritablement dans les régions célestes pour y faire un travail : toucher, remuer, déplacer des matériaux et des courants dans l'univers entier. Car la pensée qui nous permet de comprendre, nous permet aussi d'agir, elle est quelque chose de plus qu'une simple faculté ayant pour but la connaissance, elle est la clé de tout, c'est la baguette magique, l'instrument de la toute-puissance.

Donc, lorsque vous avez réussi à dégager votre pensée de tout ce qui est susceptible de l'entraver et que vous la tenez bien sous votre contrôle, à ce moment-là vous pouvez l'orienter dans la direction que vous désirez pour qu'elle fasse un travail : régulariser, harmoniser les particules et les courants, en vous et dans le monde entier. Vous donnez des ordres, vous vous concentrez sur une idée ou sur une image, vous la maintenez, et c'est elle qui va travailler, trouver de nouveaux matériaux et les organiser.

Je vous donnerai une image. Vous êtes sur la mer, dans une barque, et avec un petit bâton, vous vous amusez à remuer l'eau en tournant. Vous créez ainsi des ondes circulaires et d'abord ce sont quelques brindilles, quelques bouchons qui commencent à tourner... Vous continuez, vous continuez, et peu à peu, ce sont de petites barques qui tournent, puis des bateaux, et enfin de gros paquebots. Traduisons maintenant cette image. Vous produisez par la pensée un mouvement harmonieux dans l'océan éthérique et ces ondes entraînent peu à peu des matériaux, des entités, des intelligences, des cœurs... Vous ne me croyez pas ? Alors, essayez... Vous dites que vous avez déjà essayé... Oui, pendant cinq minutes de temps en temps, et évidemment cela n'a pas donné de résultat. Parce que vous n'avez pas persévéré. Que croyez-vous que vous pouvez faire en cinq minutes ?

Si lorsque nous nous réunissons, vous prenez l'habitude de « tourner » toujours les mêmes idées lumineuses dans l'océan éthérique : la fraternité universelle, le Royaume de Dieu, un jour vous entraînerez le monde entier... Peu à peu tous se réveilleront avec ces idées. Et d'ailleurs, cela commence déjà : de plus en plus on entend des gens parler notre langage, présenter nos idées.

Bienheureux ceux qui ont compris combien il est nécessaire d'apprendre à quitter les régions inférieures des pensées et des sentiments pour s'approcher de la source divine, car c'est là qu'ils trouveront les éléments pour entreprendre une véritable activité et vivre la vraie vie.

II

Efforcez-vous d'aller toujours plus loin dans la conscience et l'exploration de vos possibilités. Le Ciel ne vous laisse jamais sans vous tendre la main, sans vous montrer le chemin, sans vous présenter de nouvelles mines à exploiter, des richesses à puiser. Il est temps de vous mettre au travail, car tout ce que vous aurez acquis dans votre âme et votre esprit comme connaissances, comme vertus, vous l'emmènerez un jour avec vous dans l'autre monde et vous le ramènerez aussi lorsque vous reviendrez vous réincarner. Ceux qui ne travaillent pas à acquérir des qualités spirituelles, partiront dans l'autre monde les mains vides ; car, vous le savez, on ne quitte pas la terre avec ses voitures, ses usines, ses toilettes et ses bijoux. Si l'on n'a rien fait pour acquérir des richesses spirituelles, on s'en va tout nu, pauvre, misérable, et on n'est pas reçu en haut avec beaucoup de considération. Oui, c'est votre for intérieur que vous devez maintenant chercher à explorer, à exploiter, car vous y trouverez les éléments les plus précieux pour votre épanouissement et votre élévation.

Ce travail, vous ne pouvez vraiment le faire que pendant la méditation, dans le silence. Lorsque vous avez réussi à chasser les pensées et les sentiments importuns et à introduire en vous le calme, l'harmonie, ne bougez plus et essayez même d'immobiliser la pensée : que plus rien ne traverse votre mental, plus une pensée, plus une image, comme si tout s'était arrêté. Seule votre conscience doit être là, vigilante.

En réalité, ce qui s'arrête, ce sont les mouvements de la nature inférieure, tandis que la nature supérieure au contraire commence à vibrer, à rayonner. Mais ce mouvement vibratoire est tellement intense qu'il s'apparente à l'immobilité. Je sais, vous ne pouvez pas me comprendre. Intellectuellement, oui, un peu, vous comprenez, mais vous ne me comprendrez vraiment que lorsque vous réussirez à faire vous-même cette expérience.

Le Moi supérieur attend pour se manifester que le moi inférieur lui cède la place. Mais ce n'est pas si facile, le moi inférieur n'abandonne pas volontiers le terrain : il est là tout le temps à gesticuler, à crier, à s'imposer. C'est pourquoi le Moi supérieur se manifeste si rarement : il doit attendre que le moi inférieur, fatigué, fourbu, lui abandonne la place... Et quand cela arrive, ce n'est jamais pour longtemps, car le moi inférieur qui est infatigable se redresse très vite, et il reprend ses positions à coups de griffes, de dents, de sabots. Et que fait le Moi supérieur pendant ce temps ? Reste-t-il inoccupé ? Oh non, il ne cesse pas ses activités, car il participe au travail de l'esprit universel.

Mais l'homme, qui ne se connaît pas, ignore que, dans la mesure où par son Moi supérieur il participe à la vie divine, il participe aussi au travail de Dieu. Il ne peut pas se rendre compte de ce qui se passe dans les sphères supérieures de son être, car il n'a pas de lien conscient avec elles, et c'est donc justement là-dessus qu'il doit travailler.

L'homme est habité par l'Esprit divin et s'il doit se mettre à son service, ce n'est pas pour le renforcer, l'Esprit est déjà fort ; ce n'est pas pour l'instruire, il est omniscient ; ni pour le purifier, il est une étincelle. Il doit s'occuper seulement de lui frayer le chemin, et à ce moment-là l'Esprit divin lui donne sa lumière, sa paix, son amour. Voilà ce que doit être votre travail dans le silence de la méditation.

Dans votre vie aussi, vous devez apprendre à introduire le silence du Moi supérieur. Quand vous savez que vous allez devoir affronter une discussion difficile qui risque de dégénérer et de vous entraîner trop loin, tâchez de faire le silence en vous et priez... A ce moment-là, vous vous sentirez détaché, à l'abri de l'irritation et des mesquineries, oui, parce que le vrai silence n'apporte pas des conditions qui conviennent à la personnalité. Dans le silence, la personnalité perd ses moyens, elle est paralysée.

Apprenez donc à vous dégager pour céder la place à votre nature divine, à votre Moi divin en lui disant : « Voilà, tout ce que je possède est à vous, disposez de moi, prenez possession de moi, je suis à votre service. » Quelqu'un dira : « Mais à quoi cela peut-il servir ? » Eh bien, sachez qu'un véritable spiritualiste ne se pose jamais une question pareille, car la poser révèle qu'on ne possède aucune intuition de la vraie science, de la vraie philosophie. Celui qui se décide à se consacrer avec tout ce qu'il possède, donne au principe divin la possibilité de travailler et de se manifester à travers lui. C'est pourquoi Jésus disait : « Mon Père travaille et moi aussi je travaille avec Lui. » Jésus pouvait prononcer ces mots parce qu'il avait tout consacré à son Père Céleste, il Lui avait cédé la place en lui, il pouvait donc s'associer à son travail. Et il disait aussi : « Mon Père et moi, nous sommes un », ce qui a la même signification.

Et vous-même, si vous arrivez à donner la première place en vous au Moi supérieur, vous participez déjà au travail cosmique du Christ, de Dieu Lui-même. Oui, c'est quelque chose de mystérieux, une activité qui se déploie dans une autre sphère et

souvent même à notre insu. Lorsque nous sommes
absorbés dans nos tâches quotidiennes, nous ne
savons pas ce que fait notre esprit en nous. Mais
peut-être qu'un jour, quand votre cerveau se sera
suffisamment développé, vous deviendrez conscient
de ce travail de votre esprit dans l'univers. Pour le
moment, l'essentiel, c'est que vous rétablissiez le lien
avec lui. Et c'est justement ce qui doit être notre
unique préoccupation pendant les méditations :
apaiser tous les habitants en nous et, dans ce silence,
rejoindre notre Moi supérieur qui est la quintessence
de Dieu Lui-même.

De la même façon que vous participez à la vie
de votre famille, de votre ville, de votre pays, et plus
encore pour certains, vous devez apprendre à participer à la vie cosmique. Pendant les prières, les
méditations, les chants, sachez que vous pouvez
vous aussi participer à la vie cosmique, mais à condition d'être conscient des conditions qui vous sont
données de faire un travail par la pensée.

Pourquoi s'imaginer qu'il faut être un astro-
naute et avoir des fusées pour voyager et travailler
dans le cosmos ? La terre voyage à travers l'espace
éthérique, entraînée par le soleil, et nous sommes
donc sur la terre comme dans un aéronef qui pour-
suit sa course parmi les étoiles. C'est cela qui fait
de nous des citoyens cosmiques capables de participer consciemment, lumineusement, à la vie universelle. Il est temps d'abandonner ces notions limi-

tées qui nous sont transmises par l'éducation, la société, pour embrasser des conceptions plus vastes, plus larges, plus grandioses : participer dans ce travail cosmique de lumière sous l'égide du Christ.

Si l'on se donne la peine d'approfondir la phrase de Jésus : « Mon Père travaille, et moi aussi je travaille avec Lui », on verra s'ouvrir des horizons illimités. Au lieu de cela, vous laissez Jésus travailler avec son Père, et vous vous occupez de vos poules et de vos cochons. « Mais, direz-vous, il y a une telle distance entre Jésus et nous ! Il est le Christ, il est parfait, alors que nous... c'est de l'orgueil de s'imaginer que l'on peut faire le même travail que lui. » Bon, pensez ce que vous voulez, mais Jésus, lui, pensait autrement ; il disait : « Soyez parfaits comme votre Père céleste est parfait. » Ou encore : « Celui qui accomplit mes commandements fera les œuvres que je fais, et il en fera même de plus grandes. » C'est pourquoi, moi je vous dis que les chrétiens sont des paresseux. Ils veulent faire croire que c'est par humilité qu'ils n'entreprennent pas la seule activité digne d'être entreprise par les humains : participer au travail de Dieu. Eh non, pas du tout, ce n'est pas de l'humilité, mais de la paresse ! Les chrétiens sont plus proches de la mentalité de la foule médiocre que de l'esprit du Christ et de tous les grands Maîtres.

Oui, comme Jésus, les Initiés qui ont la conscience éveillée participent sans répit au travail de

Dieu. Et si vous aussi, vous voulez participer à ce travail, je vous donnerai une méthode. Restez tout d'abord un long moment dans l'immobilité et le silence, puis commencez à vous élever par la pensée, imaginez que vous quittez peu à peu votre corps physique en sortant par cette ouverture qui se trouve au sommet de la tête. Vous traversez les corps causal, bouddhique, atmique et arrivé là, vous vous liez à l'Ame universelle et vous participez à son travail dans toutes les régions du monde à la fois. Vous-même vous ne savez peut-être pas ce que vous faites à ce moment-là, mais votre esprit, lui, le sait.

IX

RECHERCHE DU SILENCE,
RECHERCHE DU CENTRE

Ne pas faire de bruit n'est pas un but en soi, mais seulement une démarche préliminaire, la condition nécessaire pour atteindre un autre silence, le silence intérieur, c'est-à-dire en réalité l'harmonisation des différentes volontés qui s'expriment au-dedans de nous. Ces volontés sont multiples : le cœur, l'intellect, les yeux, les oreilles, l'estomac, le ventre, le sexe, les bras, les jambes... Tous ont besoin de quelque chose et le réclament, et ces réclamations sont souvent contradictoires. Pour rétablir l'ordre, il faut inviter une puissance capable de les harmoniser, de les orienter en vue d'un travail : c'est-à-dire une intelligence, une tête, qui gouverne et préside à tout. Les cellules de nos organes et les entités qui les peuplent n'obéissent qu'à la tête, elles ne reconnaissent personne d'autre ; entre elles, elles se ravagent, elles se dévorent, mais comme il existe une loi dans l'univers d'après laquelle l'inférieur doit obéir au supé-

rieur et se soumettre à lui, devant l'autorité de la
tête, elles s'inclinent.

La tête est un principe intelligent qui possède des
facultés supérieures à celles des organes. Quand la
tête, le principe suprême est là, tous lui obéissent ;
et si elle exige l'ordre, la paix, le silence, plus personne ne dit rien, les sentiments se taisent, même
la pensée se tait, seule subsiste la conscience. Celui
qui est parvenu à établir ce silence en lui entre en
contact avec l'Ame universelle, il vibre à l'unisson
avec elle et il comprend, il sent... Non, en réalité,
ce qu'il découvre est encore au-dessus de ces mots-
là, c'est inexprimable, il faut le vivre.

Chaque jour nous devons faire des efforts pour
retrouver la tête, c'est-à-dire cette intelligence divine
qui est pour le moment emprisonnée en nous, et lui
rendre la liberté. Après avoir réalisé ce silence
magnifique, rien ne nous empêche de reprendre le
travail et de remettre en action le cœur, l'intellect,
les jambes, les bras et même la langue ! Mais
d'abord la tête, afin d'être bien inspiré dans tout
ce que nous entreprendrons : que nos pensées, nos
désirs, nos sensations, nos émotions soient orien-
tés par une volonté supérieure, par l'Esprit.

On peut présenter cette question d'une autre
manière et dire que le silence se fait dès que la vie
de la périphérie tourne autour d'un centre. Et justement, pourquoi allons-nous le matin contempler
le soleil qui se lève ? Parce que c'est un exercice qui

nous permet de trouver notre propre centre.* Le soleil est le centre d'un système qu'il soutient, organise et vivifie. Si le mouvement des planètes autour du soleil est considéré comme l'image même de l'harmonie universelle, c'est justement parce que les planètes tournent autour d'un centre qui maintient l'équilibre. Le soleil disparaîtrait de la place qui est la sienne, ce serait le chaos. Il en est de même pour nous : tant que nous n'avons pas un centre qui maintient, qui équilibre et coordonne les mouvements de la périphérie, nous ne pouvons pas avoir une vie et une activité harmonieuses, constructives.

Au moment où vous vous concentrez sur le soleil, pensez que c'est en vous-même aussi que vous devez trouver ce centre. Regarder le soleil ne peut être un exercice vraiment profitable que si vous le comprenez comme un symbole de la vie intérieure. Donc, en regardant le soleil, essayez de retrouver en vous ce centre : votre Esprit qui est toute-puissance, sagesse, omniscience, amour universel, et de vous approcher chaque jour de lui. Tant que vous restez éloigné du centre, vous êtes à la merci des courants les plus désordonnés et contradictoires.

Bien sûr, on est souvent obligé d'abandonner le centre pour aller poursuivre ses activités à la périphérie. Oui, mais s'il faut savoir s'éloigner du cen-

---

* Voir aussi « Les splendeurs de Tiphéret » (tome 10 des Œuvres Complètes) les chapitres I et II.

tre puisque c'est nécessaire, cela ne signifie pas qu'on doive couper le lien avec lui. Au contraire. Plus vous avez d'activités dans le monde, c'est-à-dire à la périphérie, plus vous devez renforcer ce lien avec le centre, avec l'Esprit, car c'est de ce centre que vous recevez l'énergie, la lumière, la paix dont vous avez besoin pour mener à bien toutes vos entreprises. C'est ainsi que non seulement vous êtes alimenté sans interruption, mais vous devenez vous-même un centre pour les autres créatures à la périphérie, et vous les faites bénéficier de tout ce que vous avez reçu de bon. Tant que vous n'avez pas compris cette loi, vous serez continuellement ballotté et malheureux.

Certains diront : « Mais je ne peux pas abandonner mon mari (ou ma femme) pour aller maintenant chercher le centre ! Nous sommes ensemble et nous ne nous quittons pas. » C'est bien, restez ensemble, ne vous quittez jamais. Mais un beau jour vous n'aurez plus rien à vous donner l'un à l'autre, parce que vous n'aurez jamais rien fait pour vous renouveler, pour vous enrichir : alors vous allez vous quitter cette fois, et bien vous quitter : séparation définitive, oui ! Comment faire comprendre aux humains que le véritable amour, ce n'est pas de rester collé, là, sans pouvoir se séparer une seconde ? Au contraire, celui qui veut conserver son amour sait qu'il doit partir de temps en temps en voyage. Appelez ce voyage comme vous voulez :

prière, méditation, contemplation, recherche du silence, de la tête, du centre, de la Source, de Dieu... C'est ce voyage qui vous permettra de rapporter des cadeaux à ceux que vous aimez : votre mari, votre femme, vos enfants, vos amis. Et quels sont ces cadeaux ? Une vie plus pure, plus harmonieuse, plus poétique.

Combien de fois je vous ai dit que vous n'avez qu'à observer les faits de l'existence quotidienne pour comprendre les lois de la vie intérieure ! Que font les pères de famille dans certains pays pauvres ? Ils vont chercher du travail à l'étranger, parce qu'ils savent qu'en restant chez eux, ils n'arriveront pas à gagner suffisamment d'argent pour nourrir leur famille. Ils aiment leur famille et pourtant ils la quittent, et ils la quittent justement parce qu'ils l'aiment : s'ils ne la quittaient pas, elle mourrait de faim. Et que fait aussi un père de famille ordinaire ? Chaque matin, il quitte la maison pour gagner l'argent qui lui permettra de fournir à sa famille tout ce dont elle a besoin. Eh bien, ces faits doivent vous éclairer sur les lois de la vie intérieure. Dans quelque domaine que ce soit, si on veut être vraiment utile à son entourage, si on veut lui apporter l'abondance, le bonheur, il faut le quitter un moment pour aller vers un lieu qui s'appelle l'étranger, le travail, le centre ou le silence.

Je vous ai dit que seuls ceux qui s'aiment savent réellement ce qu'est le silence. La force de leur sentiment leur apporte une plénitude qu'aucun mot ne peut exprimer et c'est pourquoi ils restent là sans rien dire, mais ils vivent la vie la plus intense. Seulement, voilà, la plupart du temps cet amour ne dure pas, ils ne savent pas le faire durer et un jour le silence qui s'installe entre eux est celui de l'indifférence, de la rancœur, de la haine même. Pourquoi ? Parce qu'ils ont vécu leur amour de façon égoïste et limitée : ils se sont concentrés l'un sur l'autre, ils se sont immédiatement donné tout ce qu'ils possédaient de meilleur, sans penser qu'ils devaient se renouveler en cherchant chaque jour à acquérir de nouvelles richesses, une nouvelle beauté, une nouvelle lumière. Aussi, maintenant, c'est la lie qu'ils se donnent l'un à l'autre, et ils ne peuvent plus s'aimer.

Alors, quand vous allez contempler le soleil, le matin, pensez qu'en vous approchant du centre de notre univers, vous vous approchez de votre propre centre. Auprès du soleil, vous devenez plus vivant, parce que le soleil c'est le feu de la vie. Chaque matin, approchez-vous du soleil en vous disant que vous pouvez capturer une étincelle, une flamme que vous enfouirez en vous et remporterez précieusement comme le plus grand trésor. C'est grâce à cette flamme que votre vie sera purifiée, sublimée, et partout où vous irez vous apporterez la pureté et la lumière.

On trouve dans les rites de la religion orthodoxe un reflet de cette démarche intérieure. Lors de certaines fêtes — et en particulier lors de la fête de Pâques — les fidèles ont tous un cierge à la main. A un moment de la cérémonie le pope qui célèbre l'office allume un cierge, puis avec cette flamme il allume le cierge de l'assistant le plus proche. Celui-ci communique la flamme à son voisin, et ainsi, de proche en proche, chacun allumant son cierge à la flamme de son voisin, l'église tout entière est illuminée. Et c'est un seul cierge qui a allumé tous les autres ! Voilà ce que symboliquement, nous aussi, nous devons faire. En nous approchant du centre, du soleil, nous devons par la pensée allumer notre cierge, et c'est ainsi que le monde entier sera un jour illuminé. Devant le soleil qui est si lumineux, si brillant, comment peut-on rester obscur ?

X

LE VERBE ET LA PAROLE

Efforcez-vous de prendre goût à tous ces moments de silence que nous observons pendant nos réunions, afin de faire un véritable travail de création par la pensée. N'oubliez jamais que ce travail de la pensée est le plus important, car c'est grâce à lui que vous arriverez peu à peu à vous approcher de l'idéal auquel vous aspirez. Par vos prières, vos méditations, chaque jour vous ajoutez un élément à l'édifice, chaque jour une brique, un peu de ciment, une planche, un clou, c'est formidable ! Quel bonheur de sentir que l'on agit, que l'on avance !

Si vous venez chaque fois à nos réunions avec cette conscience du travail à faire, vous n'attendrez plus avec autant d'impatience que j'interrompe le silence pour vous parler. Car qu'est-ce que la parole en comparaison de tels silences ?

La parole est très limitée, la plupart des mots de la langue ont été forgés par des humains ordinaires pour des besoins ordinaires. Il y a bien quelques termes pour exprimer des réalités philosophiques ou mystiques, mais tellement peu ! Alors, pour communiquer les expériences spirituelles, très souvent on se tait, on s'exprime seulement par un regard, par un geste, car on sent que les mots sont impuissants. Vous direz : « Mais alors, la parole est inefficace ? » Dans la mesure où elle parvient à se confondre avec le Verbe, c'est-à-dire si elle est vivante, imprégnée de la vie de l'esprit, la parole est puissante et agissante, mais jusque-là, en effet, elle ne sert pas à grand-chose, elle est comme un récipient vide.

Le Verbe appartient au monde de l'esprit, de la pensée créatrice. Celui qui pense, crée. Au moment où vous pensez, déjà pour ainsi dire vous parlez, et cette parole silencieuse est agissante, magique : c'est le Verbe. Le Verbe est donc une parole qui n'est pas encore descendue dans le plan physique ; elle est là, réelle, vivante, mais inaudible, elle se manifeste dans le monde invisible par des couleurs, des formes, des sonorités intelligibles pour tous, tandis que la parole, qui s'exprime dans le plan physique par des mots propres à une langue particulière, ne peut être comprise que de ceux qui parlent cette langue. Alors, voilà les difficultés !

Le langage universel, c'est le Verbe. Si vous parlez intérieurement de tout votre cœur, de toute votre âme, même les plantes, les oiseaux, les insectes, les planètes, les étoiles vous comprendront, car le langage du cœur et de l'âme est compris universellement dans la nature. Même s'il ne parle pas la même langue que vous, un être sensible, réceptif, comprendra vos pensées, vos désirs, il les sentira. Il existe des êtres très évolués, très sensibles qui, à l'instant où une pensée est formulée, la saisissent. D'ailleurs, les esprits lumineux, les anges, ne se parlent pas entre eux et ils ne nous parlent pas non plus : ils émettent des ondes et ce sont ces ondes que nous traduisons par des mots.

Alors, c'est clair maintenant : tout d'abord, vous pensez, vous sentez, et c'est cela le Verbe. Ensuite, vous cherchez la forme pour envelopper votre verbe ; cette forme, c'est la parole, les mots que vous choisissez dans une langue déterminée et cette parole, vous êtes capable de l'utiliser plus ou moins bien, tandis que le Verbe trouve toujours immédiatement dans les plans invisibles une expression appropriée que toutes les créatures comprennent, même les anges et les archanges.

La parole est souvent le commencement de tous les malentendus : on ne sait pas comment trouver les mots pour s'exprimer, et il arrive aussi qu'on n'y voie même pas assez clair en soi pour savoir ce qu'il faut dire. La parole ne peut pas devenir vivante, puissante, tant qu'elle ne s'est pas laissé imprégner par le Verbe afin d'exprimer exactement ce que l'âme et l'esprit sont en train de vivre. Un jour, les humains ne communiqueront plus avec des mots, mais avec la lumière, les couleurs, les sons qui émaneront d'eux et tout de suite ils se comprendront. Quand un homme souffre à côté de vous, souvent sans qu'il vous dise rien, vous sentez sa douleur. Et quand il est dilaté de bonheur, vous le sentez aussi. La souffrance et la joie sont un langage que l'on saisit sans avoir besoin de mots, et ce langage ne trompe pas.

Le Verbe est la synthèse de toutes les expressions de la vie intérieure de l'homme, de toutes les émanations produites par ses pensées, ses sentiments. Et, en ce sens, on peut dire que le Verbe s'oppose souvent à la parole. Combien de fois la parole, au lieu d'être le reflet fidèle de la réalité, n'est utilisée par certains que pour éveiller chez les gens certaines réactions ou sentiments qu'ils ont intérêt à susciter pour arriver à leurs fins : confiance à leur égard, méfiance à l'égard des autres, etc.

Mais comprenez-moi bien, mon but n'est pas de sous-estimer la parole, mais au contraire de vous montrer dans quelles conditions elle devient efficace, magique. La pensée crée tout d'abord les choses en haut, puis la parole les concrétise selon certaines lignes de force autour desquelles les particules de matière viennent s'ordonner. C'est pourquoi la parole est nécessaire à la réalisation de vos pensées et de vos désirs dans le plan physique. Oui, mais pour que ces pensées et ces désirs se réalisent par la parole, vous devez au préalable connaître une loi. Prenons une image : la parole, si vous voulez, c'est le canon d'un fusil, et la pensée ou le désir, c'est la poudre. Si vous ne mettez pas de poudre dans le canon, vous pouvez toujours viser et appuyer sur la gâchette, rien ne se produira. Maintenant, si le fusil n'a pas de canon, vous ne pouvez pas diriger la balle. Le canon donne la direction et la poudre la puissance. Il faut tout d'abord avoir des pensées et des sentiments puissants, ardents et ensuite, par la parole, leur donner l'orientation voulue. L'énergie psychique et la parole sont toutes deux nécessaires.

Oui, il ne faut pas sous-estimer la parole, car c'est elle aussi qui équilibre la tension intérieure, ce qui est très important. Quand vous priez en silence, quand vous méditez, vous accumulez des énergies psychiques, et il est bon de donner ensuite une issue à ces énergies par la parole. Ne pas le faire peut créer des troubles : trop de forces accumulées, trop de tensions peuvent menacer votre équilibre. La parole justement est un moyen de donner à ces forces la possibilité de s'habiller, de se manifester, d'agir. Si l'énergie psychique accumulée dans votre for intérieur ne peut pas être projetée, elle explosera sur place et c'est vous qui serez la victime. C'est pourquoi il faut projeter cette énergie, lui donner un but, et c'est justement la fonction de la parole.

Habituez-vous donc à vous servir de la parole. Quand vous sentez que vous avez réussi à entrer en contact par la pensée avec les énergies les plus pures du monde invisible, ne vous arrêtez pas là, il y a encore un travail à faire. Prononcez à haute voix quelques formules comme : « Qu'il en soit sur la terre comme au Ciel. » Ou bien : « Que le Royaume de Dieu et sa Justice se réalisent sur la terre ! » Ainsi, vous donnerez une orientation à ces énergies et vous ferez un travail bénéfique pour le monde entier. La connaissance de ces lois est la base du travail spirituel.

Lorsqu'un Initié médite dans le silence, il se recharge, accumule des forces et c'est pourquoi, quand il prend ensuite la parole, cette parole est pleine, vivante. Avant de parler, il faut se lier au Verbe divin qui est amour et puissance. L'origine de tout, la source de tout, la vraie puissance, c'est le Verbe. C'est pourquoi la parole doit toujours venir après le Verbe. Il faut que l'esprit soit toujours là, présent, vigilant ; ainsi, vous comprendrez mieux les choses et vous les exprimerez mieux aussi, on sentira vivre ce que vous dites.

Maintenant, je vous dirai encore que vous ne devez pas compter uniquement sur ce que je vous révèle dans le plan physique, car c'est très peu. Et puis, je peux être obligé de m'absenter et rester longtemps sans vous adresser la parole. Tandis qu'avec le Verbe, je vous parle sans arrêt. Oui, quand je suis seul chez moi, ou dans les montagnes, ou en voyage, sans arrêt je vous parle...

Dans ma vie, il n'y a ni femme ni enfants ni affaires, tout mon temps est libre pour penser à vous, à tous les êtres humains sur la terre, les conseiller, les éclairer, les aider, les soulager. Et si vous ne recevez rien de ce que je vous envoie, c'est parce que vous croyez que seule compte la parole physique. Non, et c'est pourquoi vous devez commencer à vous exercer ici, quand nous sommes ensemble : au lieu de vous impatienter de ce que les silences se prolongent, apprenez à développer vos antennes, à sentir que votre Instructeur pense à vous, à votre avenir ; essayez de deviner ce qu'il prépare pour vous, où il veut vous amener... Il y a des choses qu'il ne peut pas exprimer dans le plan physique ; il n'en a même pas le droit, car ses paroles seraient profanées par certains. C'est pourquoi il les lance dans le monde invisible, où seuls ceux qui sont sensibles et préparés pourront les capter pour leur avancement spirituel.

XI

LA PAROLE D'UN MAÎTRE
DANS LE SILENCE

I

A chacune de nos réunions, vous attendez que je vous adresse la parole. Mais je ne peux pas satisfaire toujours vos désirs, ce ne serait pas raisonnable. On ne peut pas parler sans arrêt, car il y a des inconvénients : c'est fatigant pour celui qui parle... et doublement fatigant pour celui qui écoute ! Le premier est épuisé et l'autre saturé. Alors épuisé, saturé, ce n'est pas à conseiller. Parler a une utilité, mais ne pas parler en a une autre. Quand quelqu'un vous parle, certaines facultés de votre cerveau se mettent en activité, et quand il reste sans rien dire, ce sont d'autres facultés qui entrent en jeu. Une femme, par exemple, voit son mari silencieux, pensif, et elle le regarde pour deviner ce qu'il peut bien remuer dans sa tête : où il est allé, ce qui lui est arrivé... et c'est ainsi qu'elle devient plus sensible, plus psychologue...

Ces qualités qu'on peut développer auprès de n'importe quel être humain, combien il est important de les développer auprès d'un Initié ! Lorsque nous avions notre congrès d'été en Bulgarie, près des sept lacs de Rila, chaque jour nous nous réunissions autour du feu avec le Maître Peter Deunov. Nous chantions, le Maître disait quelques mots, mais souvent il restait dans le silence à méditer. Moi je le regardais et je me disais : « A quoi pense-t-il ? où est-il ? » C'est ainsi que pendant les silences je me suis habitué à me lier à lui, et peu à peu je me suis aperçu que beaucoup de ses pensées, de ses sensations, de ses émotions venaient vers moi. J'ai compris aussi qu'il nous instruisait dans le silence. Vous direz : « Mais dans le silence on n'apprend rien, on n'entend rien ! » Oui, en apparence, mais en réalité c'est l'âme qui reçoit. L'âme du disciple voit, sent et enregistre tout ce qui émane de l'âme et de l'esprit de son Maître. Si le disciple ne sait pas tout de suite ce que son âme a capté, c'est qu'il faut du temps pour qu'elle le transmette au cerveau et l'imprime sur la conscience. Mais un jour ou l'autre, cela sortira sous forme de pensées, de découvertes, de réminiscences, et il ne connaîtra même pas l'origine de ce nouveau savoir.

En réalité, chaque être humain est à son insu le dépositaire de tout le savoir de l'univers. Ce savoir qui est déposé quelque part très profondément en lui, ne bouge pas, ne vibre pas, parce que les conditions ne lui en sont pas données ; il lui reste donc longtemps inaccessible. Vous direz : « Mais comment cela se fait-il ? » Oh ! c'est une très longue histoire. Depuis qu'il a quitté le sein de l'Eternel pour descendre dans la matière, l'être humain a parcouru tout un chemin dans le temps et dans l'espace. Ça n'a été souvent pour lui qu'aventures et péripéties dramatiques, au cours desquelles il a fait des expériences, acquis de nouvelles connaissances, mais il a aussi beaucoup perdu de sa lumière et de son savoir originels. Ou, plus exactement, ce savoir peu à peu a été recouvert par une accumulation de couches ternes et opaques, et maintenant il ne peut retrouver ce savoir que sous certaines conditions.

Pour ceux qui, dans des incarnations antérieures, ont déjà suivi le chemin de l'Initiation, il est plus facile de retrouver ce savoir. Il suffit qu'ils lisent ou entendent exprimer certaines idées, qu'ils entrent en contact avec un Initié, un Maître spirituel pour que ces mots, cette présence éveillent un écho en eux, comme une réminiscence. Oui, quelques mots, une présence leur suffisent pour déclencher ce souvenir. Ils n'ont même plus tellement besoin, ensuite, d'être instruits ou guidés, ils arrivent à se guider eux-mêmes, ils arrivent même à faire surgir des profondeurs de leur âme des connaissances que leur instructeur ne leur a jamais révélées.

Pour les autres, bien sûr, c'est beaucoup plus difficile. Quelques-uns parmi eux, pourtant, en entendant certaines idées, ont le pressentiment qu'il doit y avoir là quelque chose de véridique ; ils ne savent pas qu'ils possédaient déjà ces connaissances, mais ils perçoivent en eux-mêmes comme le chuchotement d'une voix très lointaine qui les persuade de les accepter. Tandis que d'autres (la majorité malheureusement), quoi qu'ils entendent, restent indifférents et ne bougent pas. Tout dépend donc du degré d'évolution. Quoi qu'on fasse, quels que soient les arguments ou les systèmes philosophiques qu'on leur présente, on ne peut convaincre les humains s'ils ne sont pas intérieurement prêts.

L'être humain a besoin de voir, d'entendre, de faire des rencontres et même de recevoir des chocs et de souffrir, parce qu'il est tellement inerte, engourdi, stagnant, que s'il ne reçoit pas des impulsions du monde extérieur, s'il n'est pas réveillé, secoué, il ne fera rien. C'est pourquoi les instructeurs, les Maîtres, nous sont tellement nécessaires : grâce à la vie qu'ils mènent, à leurs vibrations, à leurs pensées tellement pures et lumineuses, ces êtres-là arrivent à remuer quelque chose en nous. Et s'ils n'y arrivent pas, ce n'est pas parce qu'ils sont incapables ou faibles, mais parce que nous nous sommes laissé ensevelir sous tellement de couches de matériaux ternes et pesants qu'on se demande si le Seigneur lui-même pourrait faire quelque chose !

D'ailleurs, on peut comparer le travail de l'Initié à celui de la nature. Que fait la nature ? Elle ne cesse de nous parler, de nous adresser des messages : elle ne se sert pas de mots, mais elle nous parle : le soleil, les étoiles, les forêts, les lacs, les océans, les montagnes nous parlent en nous communiquant sans cesse quelque chose de leur vie, de leurs secrets. Ces communications s'enregistrent en nous, mais nous n'en avons pas conscience. Pourtant, c'est grâce à elles que peu à peu notre sensibilité s'enrichit, notre compréhension s'améliore. Nous ne savons pas comment se fait cette compréhension, mais elle se fait. C'est de cette façon aussi qu'un Initié nous parle : grâce à des courants, des rayons qu'il envoie, des particules qu'il projette. La parole d'un Initié dans le silence est comme un bombardement cosmique. Mais évidemment, de la même façon que, par notre inconscience, nous pouvons nous fermer aux messages de la nature, nous pouvons nous fermer aux messages que nous envoie un Initié dans le silence.

Vous direz : « Mais comment peut-on arriver à vibrer à l'unisson avec un Initié afin d'entrer en communication avec lui dans le silence ? » Il faut se préparer, c'est tout, il faut se préparer. Il faut travailler à éveiller en soi ce monde subtil. Car supposez maintenant que vous n'ayez pas pu entrer en

contact avec un instructeur parce que son visage,
ses gestes, son attitude, ses paroles n'éveillaient rien
en vous. Eh bien, préparez-vous quand même, car
il se peut que vous en rencontriez un jour un autre
avec lequel vous vous sentirez en affinité. Si vous
n'avez pas fait ce travail de préparation préalable,
vous ne gagnerez rien non plus auprès de lui.

II

Quand nous méditons dans le silence, je ne peux pas tout de suite oublier que vous êtes là pour m'occuper de mon propre travail ; vous êtes présents dans ma tête, dans mon cœur, comme une unité, comme ma famille... Alors je vous parle, je vous donne des explications, et même quelquefois je voudrais m'arrêter pour pouvoir enfin faire mon travail, mais je ne peux pas, je continue à vous parler. A ce moment-là, certains d'entre vous à leur insu captent mes pensées, et voilà qu'un beau jour où ils seront peut-être en train de se promener ou d'écrire, d'un seul coup ils se sentiront traversés par une pensée, une inspiration qui leur vient comme ça, comme si elle tombait du ciel. Eh oui, rien ne se perd, même pas une pensée, car tout est vivant. Et ce sera de mieux en mieux si vous vous développez harmonieusement en comprenant la valeur de tout ce que nous faisons ici. Le moment venu, chacun fera sortir toutes les richesses qui sont entassées en lui. C'est pourquoi, tâchez de vous approcher de plus en plus de cet état de conscience où nous pourrons nous réunir seulement pour rester ensemble dans le silence et goûter la vie divine qui remplit l'espace de notre âme et de l'univers.

Une fois que le silence est établi, nous sommes prêts à recevoir la visite des esprits lumineux qui nous font des révélations. Parler n'est pas absolument indispensable pour dire les choses. Moi aussi, dans le silence, je peux vous faire des révélations. Quand on n'est plus dérangé ou distrait par aucun bruit, on est prêt à entendre des voix plus subtiles. Bien qu'inaudible, la pensée est une voix qu'on peut entendre et déchiffrer. C'est pendant les silences que l'âme a la possibilité de saisir, de comprendre les réalités spirituelles, et moi je préfère parler à vos âmes qu'à vos oreilles.

Oui, pour être sincère, je dois vous dire que je ne crois pas tellement à la puissance de la parole. Dans l'état actuel des choses, la parole est parmi les moyens d'action les plus faibles. Depuis des milliers d'années, on parle, on parle, on parle, et le Royaume de Dieu n'est pas encore arrivé. On reste avec des mots. Vous direz : « Mais alors pourquoi parlez-vous ? » Pour préparer le terrain, mais moi en réalité je ne crois pas tellement à la puissance de la parole... ni d'ailleurs, à celle de l'écriture. Car

regardez aussi tout ce qu'il y a comme livres...
Qu'ont-ils tellement changé ?... J'attends le moment
où vous serez prêts à rester longtemps ensemble sans
avoir besoin que je vous parle physiquement. Mais
quand ? Quand vous aurez appris à vous apaiser,
à vous dégager, à vous concentrer, à faire un travail avec tous ces matériaux subtils qui sont conte-
nus dans le silence. Vous sentirez alors combien la
parole est faible en comparaison de la force, de la
plénitude que vous apporte le silence. Si, pour le
moment, ce n'est pas possible, si le silence ne vous
apporte pas le dixième de ce que vous apporte la
parole, c'est que vous n'êtes pas préparés à perce-
voir les richesses qu'il contient.

Bien sûr, la parole est d'une certaine utilité : elle
sert à donner des explications, des éclaircissements,
à indiquer des orientations, c'est tout ; et encore,
à condition que les humains aient le désir de se laisser persuader ! Sinon, aucune parole ne sert à rien.
Pour le moment, je suis obligé de vous parler parce
que je vois, je sais que c'est nécessaire. Mais quand,
préparés par la parole, nous arriverons un jour à
nous plonger dans cette profondeur, dans cette
immensité, dans cette intensité du silence, vous verrez vous-mêmes, vous sentirez que vous vivez quelque chose de plus vaste et de plus puissant.

Dans les sanctuaires du passé les Initiés, qui con-
naissaient la nature humaine, ne surchargeaient pas
leurs disciples de connaissances, comme cela se passe

maintenant dans les universités où il y a tellement de détails à enregistrer que les étudiants n'ont même plus le temps de vivre et de respirer. Les Initiés disaient très peu de choses, ils révélaient quelques vérités essentielles et c'était ensuite aux disciples de les méditer dans le silence pour s'en imprégner, pour les vivre. Oui, les Initiés mettaient tout leur amour, toute leur âme, tout leur esprit dans leurs paroles et les disciples les prenaient, les goûtaient, les absorbaient ; ils se nourrissaient beaucoup plus de la vie contenue dans les paroles que des paroles elles-mêmes. Tandis que maintenant, surtout en Occident, les gens n'ont pas la sensibilité qui permet de trouver cette vie contenue dans les paroles pour s'en nourrir, se renforcer et se transformer grâce à elle. Ils comptent seulement sur les mots, et comme ça, froidement, ils notent sans avoir rien senti ni rien vécu. Alors c'est raté ; toute cette vie cachée qui pourrait les éclairer, les guérir, les ressusciter, ils ne la reçoivent pas. Ce n'est pas l'intellect mais l'âme et l'esprit qui doivent être à la première place, et à ce moment-là, grâce à quelques mots que vous aurez entendus, vous pourrez un jour voyager dans l'espace.

A l'avenir, je préférerais ne plus tellement vous parler. Mais le moment n'est pas encore venu car vous n'êtes pas suffisamment développés et sensibilisés pour capter les pensées d'un Initié qui médite et vous parle dans le silence, vous ne recevriez presque rien. La parole est saisie et comprise dans le plan physique, parce que le son touche directement le plan physique, ce qui n'est pas le cas pour la pensée. Et pourtant, que je sois seul ou avec vous, je vous parle de choses qu'on ne peut pas exprimer par la parole, de choses tellement élevées, tellement divines, qu'il est impossible de les entendre ou de les comprendre physiquement. « Mais alors, direz-vous, c'est un travail inutile, vous perdez votre temps ? » Non. Sur le moment, bien sûr, vous êtes rarement conscients de ce que vous avez ainsi reçu. C'est enregistré, capté par vos appareils psychiques, mais vous n'en savez rien, vous avez l'impression de n'avoir encore rien appris. Jusqu'au jour où, dans des circonstances favorables, d'un seul coup, ce que vous avez ainsi enregistré vous revient à la conscience et alors, pour vous, c'est une découverte, une illumination.

C'est vrai, croyez-moi, j'attends avec impatience le jour où je pourrai vous parler dans le silence. Pour le moment, je sais qu'il y en a très peu parmi vous qui le souhaitent. On accepte bien le silence pendant quelques minutes, comme ça, avant ou après la conférence, mais s'il fallait que nos réunions se passent sans rien dire, très peu le supporteraient. Mais cela viendra. Quand je vous parle, c'est comme si j'étais obligé de descendre et de me limiter. Alors que de vous parler dans le silence est une activité qui déclenche en moi des puissances inouïes. Oui, pour moi c'est préférable ; lorsque je le fais, je vois les résultats. Et quand je parle, je vois aussi les résultats.

En réalité, je ne m'arrête jamais de vous parler dans le silence. Même chez moi, partout, je m'occupe de vous tous, je vous donne des explications, des conseils. Vous ne le savez pas, vous ne vous en rendez pas compte, mais un jour ou l'autre vous en bénéficierez. En attendant, tâchez de comprendre, de sentir que l'activité d'un Maître spirituel est beaucoup plus vaste et va beaucoup plus loin que ce que vous pouvez imaginer.

Vous êtes habitués à des professeurs, des conférenciers dont n'importe qui peut voir et comprendre le travail. Un Maître spirituel au contraire a une activité qui échappe à notre compréhension ordinaire, car elle s'exerce avant tout dans les plans subtils. Même si lui aussi fait des conférences ou reçoit des personnes pour les réconforter, les éclairer, en réalité c'est dans l'invisible qu'un Maître spirituel agit véritablement avec son âme, son esprit, son verbe. Tout son être se projette dans l'espace comme s'il se pulvérisait, et chaque particule entre comme un élément de lumière et de paix dans la construction de la nouvelle vie.

XII

VOIX DU SILENCE, VOIX DE DIEU

Quand j'étais jeune, en Bulgarie, j'ai vu des personnes venir chez le Maître Peter Deunov, et au lieu de l'écouter et de s'instruire auprès de lui, elles faisaient étalage de leurs connaissances en citant les nombreux livres qu'elles avaient lus. Le Maître se conduisait alors toujours avec une patience surprenante et il souriait doucement ; dans certains cas, il n'avait même pas la possibilité de placer un mot. Après un certain temps, ces personnes finissaient par comprendre qu'elles étaient seules à parler et que si elles continuaient ainsi, elles n'apprendraient vraiment rien ; alors, enfin, elles se taisaient pour laisser parler le Maître. Quel était leur étonnement d'apprendre davantage en quelques minutes auprès de lui que pendant plusieurs années d'études, simplement parce qu'elles s'étaient mises dans un état de réceptivité qui leur permettait de recevoir la parole du Maître.

C'est ainsi que lorsqu'elles se trouvent devant un être qui leur est supérieur par les compétences, la sagesse, la noblesse, certaines personnes, au lieu de garder le silence et de l'écouter, se mettent à bavarder ou même à l'interrompre quand il parle. Eh bien, ce n'est pas intelligent car on ne gagne rien ainsi, et non seulement on ne gagne rien, mais on perd. Devant un être qui vous est supérieur, il est préférable d'écouter. Même s'il ne parle pas physiquement, dans le silence que vous créez en vous, il parle à votre âme. Lorsque l'Esprit divin parle, le ciel et la terre se taisent pour écouter sa parole, car cette parole est un germe qui fertilise.

Quelqu'un qui garde le silence révèle qu'il est prêt à écouter, donc à obéir. Quelqu'un qui prend la parole, au contraire, montre qu'il veut avoir l'initiative, diriger, dominer. Le silence est donc le propre du principe féminin qui se soumet, qui se modèle sur le principe masculin. Si nous devons arriver à rétablir le silence en nous, c'est pour permettre à l'Esprit divin de travailler sur nous. Tant que nous restons insoumis, récalcitrants, anarchiques, l'Esprit ne peut pas nous guider, et nous restons faibles, misérables. Dès que nous parvenons à faire le silence, nous nous mettons entre les mains de l'Esprit qui nous guide vers le monde divin.

Mais cet état que nous appelons réceptif, passif, ne doit absolument pas être confondu avec la paresse et l'inertie. Il n'est passif qu'en apparence ;

en réalité, c'est la plus grande activité qui soit. C'est l'état de celui qui, à force de travail, de patience, de sacrifice, a réussi à réaliser le silence en lui-même, et c'est grâce à ce silence qu'il commence à entendre la voix de son âme, qui n'est autre que la voix de Dieu.

Vous devez comprendre le silence comme la condition absolue pour la véritable parole, les véritables révélations. Dans ce silence, vous sentez peu à peu des messages qui vous parviennent, une voix qui commence à vous parler. C'est elle qui vous prévient, vous dirige, vous protège... Si vous ne l'entendez pas, c'est que vous faites trop de bruit, non seulement dans le plan physique, mais aussi dans vos pensées et vos sentiments. Pour que cette voix vous parle, vous devez installer le silence en vous. On appelle parfois cette voix « la voix du silence », c'est même le titre de certains livres de la sagesse orientale. Quand le yogi arrive à tout apaiser en lui et même à arrêter sa pensée — parce que dans son mouvement, la pensée, elle aussi, fait du bruit — il entend alors cette voix du silence qui est la voix même de Dieu.

De même que nous possédons un troisième œil situé au milieu du front, nous possédons une troisième oreille qui se trouve dans la gorge au niveau de la glande thyroïde. Pour la développer, il faut savoir vivre dans le silence. Les oreilles sont liées à Saturne, la planète de la solitude, du recueillement, de l'introspection. Si dans le passé les Initiés, les ascètes, les ermites allaient vivre dans l'isolement, c'était pour écouter cette voix intérieure. Comme Saturne, ils restaient seuls pour que rien ne vienne plus distraire leur attention.

Tout le monde sait que lorsqu'on a besoin de réfléchir pour prendre une décision, on s'éloigne et on ferme la porte derrière soi, parce que c'est dans le silence qu'on a davantage de possibilités de trouver une solution. Mais même dans ce silence, chacun peut le sentir, il y a souvent du bruit, car le for intérieur des humains est semblable à une place publique où des quantités de gens viennent tous à la fois manifester et présenter des revendications. Voilà pourquoi il est toujours si difficile de recevoir la vraie réponse aux questions qu'on se pose, la réponse qui vient du Ciel, de la région du silence.

Oui, on a beau s'isoler, on n'est pas seul, il y a tellement d'habitants installés en dedans ! Vous croyez que vous êtes seul et que vos désirs, vos pensées, vos décisions viennent de vous, que c'est toujours vous qui prenez l'initiative ? Eh bien, vous vous trompez. Vous êtes habité par une multitude d'entités et en particulier par les esprits familiaux : ceux des êtres de votre famille partis dans l'autre monde, et ceux qui sont encore vivants. Ils ont un pied-à-terre chez vous : ceux qui aiment boire, ceux qui aiment faire des trafics, ceux qui recherchent les plaisirs, tous sont là en train de vous pousser à satisfaire leurs envies hétéroclites. Et au bout de quelque temps, vous cédez... malgré le silence !

Le disciple a une autre façon de travailler : il ne se contente pas de s'isoler des bruits extérieurs, il tâche aussi de réduire au silence tous ceux qui, au-dedans, crient, exigent, menacent. Il leur dit : « Alors, maintenant, taisez-vous ! » Et dans ce grand silence il entendra une voix, mais une voix très douce, très faible...

Cette voix intérieure parle sans arrêt en chacun de nous, mais elle est très douce, et de grands efforts sont nécessaires pour parvenir à la distinguer parmi les bruits de toutes sortes... Comme si dans un orchestre on essayait de suivre la mélodie d'une flûte au milieu du tapage des tambours et des grosses caisses. Il faut apprendre à écouter cette voix très douce qui parle en nous. Nous savons très bien entendre la voix tonitruante de l'estomac qui crie sa faim ou du sexe qui réclame une victime, mais lorsqu'une petite voix nous dit : « Sois plus patient avec cet être... Apprends à te maîtriser... Fais des efforts... » nous répondons : « Oh, tais-toi ! » Et c'est facile de la réduire au silence : elle est si douce, elle n'insiste pas.

Vous direz : « Mais comment ? Dieu est la force, la puissance, Il a tous les moyens de faire entendre sa voix ! » Oui, mais lisez l'histoire d'Elie dans l'Ancien Testament. Lorsqu'il dut fuir la colère de la reine Jézabel, Elie se cacha dans le désert

durant de longs jours. Enfin, la voix de Dieu se
manifesta à lui. Il y eut d'abord un vent violent qui
déchira les montagnes et brisa les rochers, mais Dieu
n'était pas dans le vent. Il y eut ensuite un tremblement de terre, mais Dieu n'était pas dans le tremblement de terre. Il y eut un feu, mais Dieu n'était
pas dans le feu. Enfin, après le feu, il y eut un murmure doux et léger... et Dieu était dans ce murmure.
Voilà, vous avez compris maintenant : Dieu n'était
ni dans l'orage, ni dans le tremblement de terre, ni
dans le feu, mais dans un murmure... La voix de
Dieu ne fait pas de bruit et, pour l'entendre, il faut
être très attentif.

Le prophète Jonas avait aussi entendu la voix
de Dieu qui lui avait dit : « Va à Ninive et dis-lui
que je la détruirai parce qu'elle n'obéit pas. » Mais
Jonas, qui avait peur, ne voulut pas aller à Ninive
et s'embarqua sur un navire qui faisait route vers
Tarsis. Lorsqu'il fut en mer, une grande tempête
s'éleva. Tous étaient terrifiés et décidèrent de tirer
au sort pour savoir quel était celui qui attirait cette
tempête. Le sort désigna Jonas : on le jeta à l'eau.
Il fut avalé par une baleine et resta trois jours dans
son ventre. Là, il réfléchit et dit enfin : « Seigneur,
pardonne-moi, maintenant je vais faire ce que Tu
me demandes. » Alors, il fut vomi par la baleine
et sauvé... Comme Jonas, celui que le tapage des
caprices et des craintes empêche d'entendre la voix
du Seigneur, rencontre des baleines et il reste plu-

sieurs jours dans leur ventre jusqu'à ce qu'enfin le tapage s'apaisant, il finisse par entendre cette voix. Et vous, combien de baleine avez-vous déjà rencontrées dans votre vie ! Oui, des baleines de toutes les tailles et de toutes les couleurs...

Si vous étiez plus attentif, si vous aviez plus de discernement, vous sentiriez qu'avant chaque entreprise importante de votre vie (que ce soit un voyage, un travail, une décision à prendre), une voix douce vous conseille. Mais vous ne faites pas attention, parce que vous préférez le tapage et les tempêtes. Pour que vous écoutiez l'être qui vous parle, il faut qu'il fasse beaucoup de bruit. S'il parle doucement, vous n'écoutez pas. Pourtant, vous devez savoir que lorsque les êtres supérieurs vous parlent, ils ne vous disent que quelques mots et d'une voix presque imperceptible. Quand, par votre faute, il vous est arrivé un malheur, parfois vous vous dites : « Oui, bien sûr, il y avait quelque chose, là, qui m'avait averti, mais c'était si faible, si faible... » Vous n'avez pas écouté parce que vous avez préféré suivre les voix qui vous parlaient beaucoup et très fort pour vous induire en erreur.

Dieu parle doucement et sans insistance, Il dit les choses une fois, deux fois, trois fois, puis Il se tait. L'intuition n'insiste pas davantage, et si vous n'écoutez pas attentivement, si vous ne discernez pas cette voix parce que c'est seulement le bruit que vous êtes capable d'entendre, vous serez sans cesse égaré. La voix du Ciel est extrêmement douce, tendre, mélodieuse et brève, et il existe des critères pour la reconnaître. Oui, la voix de Dieu se manifeste de trois manières : par une lumière qu'elle fait naître en nous, par une dilatation, une chaleur, un amour que nous sentons dans notre cœur, et enfin par une sensation de liberté que nous éprouvons et la décision d'accomplir des actes nobles et désintéressés. Alors, soyez attentif...

Il arrive parfois qu'ayant une décision importante à prendre, vous soyez troublé parce qu'il y a trop de choses contradictoires qui bouillonnent en vous : vous vous sentez poussé dans une direction, puis dans une autre, puis dans une troisième... Au milieu de cette pagaille, vous ne pouvez pas y voir clair, ce n'est donc pas le moment de prendre une décision, car toutes les conditions sont réunies pour que vous commettiez des erreurs. Il vaut mieux prendre votre temps afin de vous calmer, de vous apaiser, car c'est seulement dans le silence des pensées et des sentiments que vous recevrez la réponse du Moi supérieur, de l'Esprit. Ce silence est la source de la clarté, de la limpidité, de la certitude, et vous avez besoin de lui pour prendre de bonnes décisions.

Le silence, la paix, l'harmonie sont l'expression d'une même réalité. Ne pensez pas que le silence est vide et muet, non, le silence est vivant, vibrant et il parle, il chante. Mais nous ne l'entendons que lorsque les grosses caisses s'arrêtent de battre en nous.

Grâce à la contemplation, la prière, la méditation, nous parviendrons un jour à entendre la voix du silence. Lorsque toutes les forces chaotiques se seront enfin apaisées, le silence s'approchera, se répandra, nous enveloppera de son manteau merveilleux. Une clarté se fera en nous et nous sentirons soudain que quelque chose de très puissant règne au-dessus de nous et nous gouverne : ce silence dont l'univers est sorti et dans lequel il retournera un jour.

XIII

LES RÉVÉLATIONS DU CIEL ÉTOILÉ

La vie moderne est ainsi faite que les humains perdent de plus en plus le contact avec la nature, surtout dans les villes où souvent on n'aperçoit même plus le ciel ; ou si on l'aperçoit, on ne pense pas à le regarder. On est pris, pressé par les soucis matériels, et le regard descend de plus en plus vers la terre. Bien sûr, on voit le soleil, mais on ne le regarde pas. Et combien y a-t-il de personnes qui prennent encore le temps de contempler, la nuit, le ciel étoilé ?

Je sais, les conditions de l'existence ne se prêtent pas tellement à la contemplation des étoiles, mais dès que vous en avez l'occasion, pensez à y consacrer quelques minutes... Dans le silence de la nuit, imaginez que vous quittez la terre, ses querelles, ses tragédies, et que vous devenez un citoyen du ciel. Méditez sur la beauté des étoiles, sur la grandeur des êtres qui les habitent. Au fur et à mesure de cette ascension dans l'espace, vous allez vous sentir allégé, libéré, mais surtout vous découvrirez la paix, une paix qui s'introduira peu à peu dans toutes les cellules de votre être. En méditant sur la sagesse qui a créé ces mondes et les êtres dont ils sont le reflet, vous sentirez que votre âme déploie des antennes très subtiles qui lui permettent de communiquer avec eux. Ce sont là des moments sublimes que de toute sa vie on ne peut plus ensuite oublier.

Aujourd'hui encore, je me souviens de certaines expériences que j'ai faites quand j'étais jeune, en Bulgarie. Lorsque notre Fraternité campait avec le Maître Peter Deunov sur les Monts de Rila durant l'été, je grimpais parfois jusqu'au sommet, le Moussala, pour y passer la nuit. Je m'enveloppais de quelques couvertures, et avant de m'endormir, étendu sur le dos, je contemplais le ciel étoilé, en tâchant de me lier aux forces et aux entités cosmiques dont les étoiles sont seulement l'aspect physique. Je ne comprenais pas tout ce qu'elles me disaient, mais je les aimais, toute mon âme était émerveillée et je les regardais jusqu'au moment où sans m'en rendre compte je plongeais dans le sommeil. Quelquefois, pendant la nuit, il neigeait un peu et je me réveillais couvert d'une légère couche de neige. Mais ça ne faisait rien, j'étais heureux !

C'est au cours de ces années-là que j'ai découvert la paix extraordinaire dont on est envahi quand on se trouve la nuit sur les sommets. Dans les régions où je me trouvais transporté, je sentais et comprenais que la seule activité réellement importante dans la vie est de s'unir à l'Esprit cosmique qui anime l'univers. Dans la vie courante, pour un rien les humains se tourmentent ou se déchirent entre eux. Leur champ de conscience est tellement étroit et limité que rien ne leur paraît plus important que leurs soucis, leurs ambitions, leurs amours, leurs querelles. Ils ne voient pas l'immensité du ciel au-dessus d'eux, tout cet espace infini qui, s'ils voulaient bien lever les yeux vers lui, leur permettrait de s'arracher à leurs limitations et de respirer un peu. Mais vous, tâchez de ne pas vous priver de toutes les occasions qui se présentent d'échapper au poids de la vie quotidienne.

En pensant à l'infini, à l'éternité, vous commencez à sentir que vous planez au-dessus de tout, que rien ne peut plus vous toucher, aucun chagrin, aucune tristesse, aucune perte, parce qu'une autre conscience s'éveille en vous ; vous jugez et vous éprouvez les choses différemment. Cet état de conscience est celui des Initiés et des grands Maîtres : qu'on les ait lésés, qu'on les ait trompés, qu'on leur ait fait du mal, rien de tout cela ne peut les atteindre, ils sont au-dessus. Malheureusement, la plupart des humains ne peuvent pas comprendre cela, ils sont habitués à stagner dans les régions inférieures de la pensée et du sentiment, et c'est ainsi qu'ils s'affaiblissent : parce qu'ils ne savent pas se dégager, et ils sont donc continuellement victimes des conditions négatives qu'ils ont laissé s'installer en eux.

Oui, il faut apprendre à se servir de toutes les occasions qui nous sont données de dépasser cette vie tellement médiocre. Et le silence de la nuit, le ciel étoilé, justement, nous présentent les meilleures conditions pour oublier un peu les affaires humaines et penser à d'autres mondes où des êtres plus évolués que nous vivent dans l'harmonie et la splendeur. Tout ce qui fait nos préoccupations ne représente rien pour eux, ce sont des événements minuscules. Vous direz : « Comment ? Des événements minuscules ? Des famines, des massacres, des cataclysmes, mais c'est terrible ! » Oui, c'est terrible, mais aux yeux de l'Intelligence cosmique, cela ne mérite aucune attention. Aux yeux de l'Intelligence cosmique ne sont importants que les événements de l'âme et de l'esprit.

Alors, lorsque la nuit est claire, habituez-vous à regarder les étoiles et à boire cette paix qui descend doucement du ciel constellé. Liez-vous à chacune d'elles, et telle une âme vivante, intelligente, chacune vous dira une parole. Essayez d'en trouver une avec laquelle vous vous sentez des affinités particulières, liez-vous à elle, imaginez que vous allez vers elle ou qu'elle vient vous parler... Les astres sont des âmes hautement évoluées. En écoutant leur voix, vous trouverez la solution à de nombreux problèmes, vous vous sentirez éclairé et apaisé.

Tous les grands Initiés se sont instruits en contemplant le ciel nocturne, leur âme communiait avec les étoiles, et ces centres de forces inépuisables leur envoyaient des messages qu'ils transmettaient ensuite aux humains. Il faut lire les étoiles comme les caractères d'une écriture sacrée qu'on met très longtemps à déchiffrer. Oui, c'est plus tard qu'on commence peu à peu à comprendre toutes leurs révélations. Et même moi, c'est maintenant que je commence à comprendre certaines choses que me chuchotait le ciel étoilé dans le silence de la nuit. Mon âme les avait captées, enregistrées et elle en a gardé les empreintes.

En regardant les étoiles scintiller et se lancer à travers l'espace des signaux de lumière, il me semblait aussi que c'était une sorte de guerre qu'elles se faisaient entre elles, mais une guerre de lumière et d'amour. Et maintenant je sais que la guerre existera toujours dans l'univers, car le principe de Mars sera toujours là (c'est-à-dire le besoin de se mesurer aux autres, de se montrer le plus fort), mais il changera de nature et de manifestation : au lieu d'utiliser des armes meurtrières, les créatures ne cesseront de s'envoyer des rayons de lumière et d'amour. Voilà ce que j'ai aussi appris des étoiles : qu'il est possible de se déclarer la guerre avec l'amour et la lumière.

XIV

LA CHAMBRE DU SILENCE

Lorsqu'on demande à un sage ce qu'est Dieu, il se tait, il répond par le silence, car le silence seul peut exprimer l'essence de la Divinité. Oui, dire ce qu'est Dieu ne suffit pas, et dire ce qu'Il n'est pas ne suffit pas non plus. Dire que Dieu est amour, sagesse, puissance, justice... c'est vrai, mais en réalité ces mots passent à côté de la réalité divine, ils ne saisissent rien de l'infini, de l'éternité, de la perfection de Dieu. On ne connaît pas Dieu en parlant ou en écoutant parler de Lui, on Le connaît en essayant de pénétrer profondément en soi-même, afin d'atteindre cette région qui est justement le silence.

L'être humain possède des centres subtils appelés dans la tradition hindoue : chakras, lotus, grâce auxquels il a la possibilité d'entrer en relation avec le monde spirituel. Mais ces centres ne peuvent pas s'éveiller et fonctionner au milieu des agitations et du vacarme de la vie quotidienne. Alors, pour échapper aux sollicitations et aux agressions du monde extérieur, certains êtres se sont retirés dans les déserts ou les forêts. Ce sont les ermites, les anachorètes, les saddhous, etc. Parmi eux, il en est qui sont allés encore plus loin et qui ont voulu couper presque toutes relations avec le monde extérieur, ne plus avoir recours aux cinq sens, les mettre hors d'état de fonctionner : ils ont creusé dans la terre des trous juste assez grands pour s'y introduire et c'est là qu'ils se sont réfugiés.

Grâce au sommeil des cinq sens, ces êtres ont réussi à créer en eux le silence absolu ; n'ayant plus rien à voir, à entendre, à sentir, à goûter ou à toucher, ils ont réussi à percer cette paroi opaque qui sépare l'homme de la véritable réalité. Quand j'étais en Inde, j'ai rencontré quelques-uns de ces très rares êtres qui ont fait de telles expériences. Et même si je savais déjà beaucoup de choses avant de les rencontrer, ils m'ont encore beaucoup appris sur la puissance du véritable silence qui est seul capable de faire vibrer et de mettre en marche tous nos centres spirituels.

Car le véritable silence n'est pas uniquement absence de bruit. Le véritable silence est au-dessus de la sagesse, au-dessus de la musique, c'est le monde le plus lumineux, le plus puissant, le plus beau, le centre d'où jaillissent toutes les créations. Ce silence est Dieu Lui-même. Il faut se lier à lui souvent, se plonger en lui en s'efforçant même d'arrêter la pensée. Dans ce silence, une paix extraordinaire s'installe en vous, et il se peut même alors que Dieu vous parle. Car c'est seulement au sein du silence et de la paix que Dieu accepte de parler.

Entrer dans le silence est donc une activité qui se situe au-delà des cinq sens, au-delà du sentiment et même de la pensée. Lorsqu'on atteint cette région du silence, on nage dans un océan de lumière, on vit la vraie vie, intense, abondante. Cette expérience du silence, certaines personnes l'ont faite parfois après de grands bouleversements, de grandes souffrances, des pertes cruelles. Comme si le choc reçu les avait projetées au-delà d'elles-mêmes, là où veille cette entité que la Science initiatique a appelée justement « le Silencieux ».

Mais la réalité c'est que, même s'ils ont fait de telles expériences, la majorité des humains vivent la plupart du temps à la périphérie de leur être. Pour eux, la vie intérieure se limite au domaine du cœur et de l'intellect, c'est-à-dire aux plans astral et mental. Et là évidemment, ça bouge ! Les désirs, les sensations, les passions, les chagrins, les projets, les calculs, il y a de quoi voir, entendre et s'occuper. Mais profondément, toute cette ébullition ne change rien, l'homme ne se transforme pas. Pour changer en profondeur, pour trouver quelque chose d'essentiel, il ne faut pas rester là, il faut s'élever jusqu'aux plans causal, bouddhique et atmique.

Des pensées et des sentiments ordinaires, tout le monde en a, il n'y a pas besoin de faire des efforts pour cela, on n'a qu'à se laisser aller. Mais pour nourrir des sentiments inspirés par l'amour divin, des pensées inspirées par la sagesse divine, pour vivre des états de conscience supérieurs, il faut faire des efforts. Ces efforts ce sont le désintéressement, le détachement, le renoncement... Ce n'est qu'à ces conditions qu'on pénètre dans la région du silence.

Certains diront : « Mais ce silence dont vous nous parlez, ces mondes au-delà des pensées et des sentiments, c'est le vide, c'est comme si vous nous demandiez de nous jeter dans le vide... c'est effrayant ! » D'une certaine façon, oui, on peut appeler cela le vide, mais n'ayez pas peur, je n'ai jamais dit qu'il fallait s'y jeter comme ça, sans y être prêt. Pourquoi serais-je plus insensé ou plus cruel qu'une mère oiseau ? Que fait une mère oiseau ? Elle garde ses petits nouveau-nés tout le temps qu'il faut dans le nid, puis quand elle sent qu'ils sont prêts, que leurs ailes sont suffisamment développées, elle les pousse hors du nid ; mais pas avant. Eh bien moi non plus, je ne vous pousse pas dans le vide avant que vous ne soyez prêts. Je vous présente seulement à l'avance le travail à faire et les moyens de le faire, c'est tout.

D'ailleurs, le vide n'est pas un but en soi. Faire le vide, c'est apprendre à se débarrasser de tous les éléments étrangers qui nous empêchent d'entrer en contact avec le monde divin et de recevoir ses bénédictions. Combien de gens sont comme des bouteilles pleines ! Pas moyen de verser quoi que ce soit en eux, c'est plein : plein de désirs malsains, d'idées erronées, de partis pris ; ils ne pensent jamais à se vider pour remplacer l'obscurité par la lumière, la laideur par la beauté, le désordre par l'ordre. Quand il s'agit de remplacer un ouvrier, un patron, une femme, un mari, là oui, ce sont des as. Mais si on leur parle de remplacer l'erreur par la vérité, un défaut par une qualité, ils vous regardent étonnés.

Donc, c'est vrai, faire le silence, c'est en quelque sorte faire le vide en soi, et c'est dans ce vide que l'on reçoit la plénitude. Oui, car en réalité le vide n'existe pas. Enlevez l'eau d'un récipient, il y entre l'air, enlevez l'air, il y entre l'éther... Quand on essaie de faire le vide, la matière est chaque fois remplacée par une matière plus subtile. De la même façon, quand on arrive à rejeter les pensées, les sentiments et les désirs inférieurs, c'est la lumière de l'esprit qui fait irruption : à ce moment-là on voit, on sait.

Le silence est la région la plus élevée de notre âme, et au moment où nous atteignons cette région, nous entrons dans la lumière cosmique. La lumière est la quintessence de l'univers, tout ce que nous voyons autour de nous, et même ce que nous ne voyons pas, est traversé et imprégné de lumière. Et

le but du silence, justement, c'est la fusion avec cette
lumière qui est vivante, qui est puissante et qui pénètre toute la création.

Si vous le pouvez, essayez d'avoir dans votre
appartement une pièce, aussi petite soit-elle, que
vous réserverez justement au silence, une pièce avec
de belles couleurs, décorée de quelques tableaux
symboliques ou mystiques. Consacrez-la au Père
Céleste, à la Mère Divine, au Saint-Esprit, aux anges
et aux archanges, n'y laissez entrer personne et n'y
entrez vous-même que si vous êtes capable de faire
le silence en vous afin d'entendre les voix du Ciel.
Vous donnerez ainsi à votre esprit, à votre âme, les
possibilités de s'épanouir et d'appeler des bénédictions que vous pourrez répandre ensuite sur toutes
les créatures autour de vous. Si vous savez garder
vraiment la bonne attitude, il émanera des murs,
des objets de cette pièce, quelque chose d'harmonieux qui attirera les entités lumineuses, car ces entités se nourrissent d'harmonie. Et lorsqu'il vous arri-
vera d'être triste, découragé, si vous entrez dans
cette chambre, comme elle est peuplée de bons amis
qui ne demandent qu'à vous consoler et à vous
aider, au bout d'un moment vous vous sentirez tout
à fait rétabli.

Mais au fur et à mesure que vous préparerez
cette chambre du silence, soyez conscient que vous
la préparez aussi en vous, dans votre âme, dans
votre cœur. Et alors partout où vous vous trouve-

rez, même au milieu des tumultes, vous pourrez entrer dans cette chambre intérieure pour y trouver la paix et la lumière. Nous vivons en même temps dans les deux mondes : visible et invisible, matériel et spirituel, c'est pourquoi il est bon d'avoir cette chambre du silence à la fois en soi et en dehors de soi, et de la tenir à l'abri des influences maléfiques.

Je sais bien que ce que je vous dis là n'est pas pour tout le monde, mais seulement pour ceux qui, malgré tout ce qu'ils ont obtenu dans la vie, ne sont pas satisfaits : ils sentent qu'il leur manque quelque chose d'essentiel. Alors, c'est à vous de voir… mais une fois que vous aurez pris la décision de vous engager dans cette voie du silence, ne vous inquiétez pas du temps qu'il vous faudra pour la parcourir. L'essentiel, c'est votre décision d'entrer dans cette voie et de persévérer

TABLE DES MATIÈRES

la vie éternelle » — VII. « Père, pardonne-leur car ils ne savent ce qu'ils font » — VIII. « Si quelqu'un te frappe sur une joue... » — IX. « Veillez et priez ».

216 — LES SECRETS DU LIVRE DE LA NATURE

I. Le livre de la nature — II. Le jour et la nuit — III. La source et le marécage — IV. Le mariage, symbole universel — V. Le travail de la pensée : extraire la quintessence — VI. La puissance du feu — VII. Contempler la vérité toute nue — VIII. La construction de la maison — IX. Le rouge et le blanc — X. Le fleuve de vie — XI. La Nouvelle Jérusalem et l'homme parfait : 1. Les portes de la Nouvelle Jérusalem : la perle ; 2. Les assises de la Nouvelle Jérusalem : les pierres précieuses — XII. Lire et écrire.

217 — NOUVELLE LUMIÈRE SUR LES ÉVANGILES

I. « On ne met pas le vin nouveau dans de vieilles outres » — II. « Si vous ne devenez pas comme des enfants » — III. L'économe infidèle — IV. « Amassez des trésors... » — V. « Entrez par la porte étroite » — VI. « Que celui qui est sur le toit... » — VII. La tempête apaisée — VIII. « Les premiers seront les derniers » — IX. La parabole des cinq vierges sages et des cinq vierges folles — X. « La vie éternelle, c'est qu'ils Te connaissent, Toi, le seul vrai Dieu !... »

218 — LE LANGAGE DES FIGURES GÉOMÉTRIQUES

I. Le symbolisme géométrique — II. Le cercle — III. Le triangle — IV. Le pentagramme — V. La pyramide — VI. La croix — VII. La quadrature du cercle.

219 — CENTRES ET CORPS SUBTILS

I. L'évolution humaine et le développement des organes spirituels — II. L'aura — III. Le plexus solaire — IV. Le centre Hara — V. La force Kundalini — VI. Les chakras : le système des chakras; Ajna et Sahasrara chakras.

220 — LE ZODIAQUE, CLÉ DE L'HOMME ET DE L'UNIVERS

I. L'enceinte du zodiaque — II. La formation de l'homme et le zodiaque — III. Le cycle planétaire des heures et des jours

matière − VI. Rechercher l'équilibre entre les moyens matériels et les moyens spirituels − VII. La force de l'esprit − VIII. Quelques lois de l'activité spirituelle − IX. Les armes de la pensée − X. Le pouvoir de la concentration − XI. Les bases de la méditation − XII. La prière − XIII. La quête du sommet.

225 − HARMONIE ET SANTÉ

I. L'essentiel, la vie − II. Le monde de l'harmonie − III. Harmonie et santé − IV. Les bases spirituelles de la médecine − V. Respiration et nutrition − VI. La respiration : 1. Ses effets sur la santé ; 2. Comment se fondre dans l'harmonie cosmique − VII. La nutrition dans les différents plans − VIII. Comment devenir infatigable − IX. Cultiver le contentement.

226 − LE LIVRE DE LA MAGIE DIVINE

I. Le retour des pratiques magiques et leur danger − II. Le cercle magique : l'aura − III. La baguette magique − IV. La parole magique − V. Les talismans − VI. A propos du nombre treize − VII. La lune, astre de la magie − VIII. Le travail avec les esprits de la nature − IX. Les fleurs, les parfums... − X. Nous faisons tous de la magie − XI. Les trois grandes lois magiques − XII. La main − XIII. Le regard − XIV. Le pouvoir magique de la confiance − XV. La magie véritable : l'amour − XVI. Ne cherchez jamais à vous venger − XVII. Exorciser et consacrer les objets − XVIII. Protéger votre demeure.

227 − RÈGLES D'OR POUR LA VIE QUOTIDIENNE
(extrait de la table des matières)

I. Le bien le plus précieux : la vie − II. Concilier la vie matérielle et la vie spirituelle − III. Consacrer sa vie à un but sublime − IV. La vie quotidienne : une matière que l'esprit doit transformer − V. La nutrition considérée comme un yoga − VI. La respiration − VII. Comment récupérer ses énergies − VIII. L'amour rend infatigable − IX. Le progrès technique libère l'homme pour le travail spirituel − X. Aménagez votre demeure intérieure − XI. Le monde extérieur est

228 – REGARDS SUR L'INVISIBLE

Editeur-Distributeur

Editions PROSVETA S.A. – B.P. 12 – 83601 Fréjus Cedex (France)

Distributeurs

ALLEMAGNE
URANIA – Rudolf-Diesel-Ring 26
D-8029 Sauerlach

AUTRICHE
MANDALA
Verlagsauslieferung für Esoterik
A-6094 Axams, Innsbruckstraße 7

BELGIQUE
PROSVETA BENELUX
Van Putlei 105 B-2548 Lint
N.V. MAKLU Somersstraat 13-15
B-2000 Antwerpen
VANDER S.A.
Av. des Volontaires 321
B-1150 Bruxelles

BRÉSIL
NOBEL SA
Rua da Balsa, 559
CEP 02910 - São Paulo, SP

CANADA
PROSVETA Inc.
1565 Montée Masson
Duvernay est, Laval, Que. H7E 4P2

ESPAGNE
ASOCIACIÓN PROSVETA ESPAÑOLA
C/ Ausias March n° 23 Principal
SP-08010 Barcelona

ETATS-UNIS
PROSVETA U.S.A.
P.O. Box 49614
Los Angeles, California 90049

GRANDE-BRETAGNE
PROSVETA Ltd
The Doves Nest
Duddleswell Uckfield,
East Sussex TN 22 3JJ
Trade orders to :
ELEMENT Books Ltd
Unit 25 Longmead Shaftesbury
Dorset SP7 8PL

HONG KONG
HELIOS – J. Ryan
P.O. BOX 8503
General Post Office, Hong Kong

IRLANDE
PROSVETA IRL.
84 Irishtown – Clonmel

ITALIE
PROSVETA Coop. a r.l.
Cas. post. 13046 – 20130 Milano

LUXEMBOURG
PROSVETA BENELUX
Van Putlei 105 B-2548 Lint

NORVÈGE
PROSVETA NORDEN
Postboks 5101
1501 Moss

PAYS-BAS
STICHTING
PROSVETA NEDERLAND
Zeestraat 50
2042 LC Zandvoort

PORTUGAL
PUBLICAÇÕES
EUROPA-AMERICA Ltd
Est Lisboa-Sintra KM 14
2726 Mem Martins Codex

SUISSE
PROSVETA
Société Coopérative
CH - 1808 Les Monts-de-Corsier

VENEZUELA
J.P.Leroy
Apartado 51 745
Sabana Grande
1050 A Caracas

ACHEVÉ D'IMPRIMER LE 31 JUILLET 1989
SUR LES PRESSES DE L'IMPRIMERIE
PROSVETA, Z.I. DU CAPITOU, B.P.12
83601 FRÉJUS CEDEX

– N° d'impression : 1733 –
Dépôt légal : Juillet 1989
Imprimé en France